KB082255

서울과 아시아지역학 2

서울과
아시아지역학 2

대한아시아지역학연구회 지음

서울과 아시아지역학의 만남

　서울은 아시아에서 가장 역동적이며 활발한 도시입니다. 한국의 수도이면서 최대도시답게 그 규모는 웅장하며 도시 경영에 있어 세계적으로 주목받는 도시입니다. 아시아의 영혼으로 새롭게 떠오르는 서울은 이제 그 규모와 위상에 걸맞은 철학이 필요합니다.

　도시는 기본적 철학이 없이는 정체된 공간입니다. 각자의 도시가 비슷해 보여도 그 나름의 고유한 역사와 문화가 담겨 있으므로 이러한 것이 융합되어 하나의 철학으로 세상에 모습이 드러나게 됩니다.

　서울에 새로운 도시 철학이 잘 정립된다면 그 도시는 최고의 경영 상태가 된 것과 같습니다. 아시아가 개벽되는 시대에 서울이 그 깃발을 들고 앞장선다면 그것은 서울의 영광을 넘어 대한민국의 영광입니다.

　서울은 단순한 도시가 아니며 서울시민만 갖기에는 너무나 귀중합니다. 한국인은 곧 서울시민이며 서울은 한국인 모두의 것입니다. 서울이라는 도시를 한국의 사회적 실험장으로 쓰면서 누구나 서울 사람으로 된다면 새로운 혁신도 가능합니다.

　우리는 서울을 통해 아시아지역학을 바라보았습니다. 그리고 그 과정에서 시도한 모든 도전과 웅비가 집약된다면 창의적 성장과 창조적 개혁이 가능할 것입니다. 서울을 통해 아시아지역학을 바라보면서 아시아의 세기를 만나길 기원합니다.

목 차

제 5 장

서울과 아시아지역학의 교차

1. 서울에서 보는 아시아지역학

도시는 기본적으로 한 국가에서 가장 첨단을 달리는 곳이며 많은 사람이 모인 총체이다. 이는 기본적으로 도시라는 개념은 같더라도 그 도시가 보이는 문화적 혹은 정신적 모습은 다른 도시와 흡사한 경우는 특별한 상황이 아닌 한 거의 없다. 고로 아시아지역학에서 보는 도시는 아시아의 고유한 정체성을 담은 도시이며 서구의 도시를 일방적으로 표절한 것이 아니다.

서울은 겉으로 보기에는 아시아적 도시라고 보기 어렵다. 이는 대개 아시아 하면 무언가 과거의 것을 떠올리는 고정 관념에 깊게 입각한 것이다. 하지만 우리가 보는 것은 기본적으로 도시 그 자체에서 느끼는 에너지이지 단순한 외관이나 내부 시설에 관해서는 관심 사항이 아니라고 할 수 있다.

서울은 우리가 위에서 거론한 아시아적 도시 철학이 잘 녹여져 있는 도시이다. 겉으로 보기에는 각자의 지역이 따로 발전하여 하나의 정체성이 없는 듯 보이고 실제로 여러 갈등이 있었지만, 그것을 극복하고 '서울'이라는 하나의 모습으로 통일하는 과정이 아시아의 역경 극복과 해방과 비슷하다는 의견이 있을 정도이다. 그러므로 서울은 국제적인 영향력과 존재감은 결코 작은 도시라고 하기 어렵다.

　하지만 근본적으로 서울의 모습을 타자가 인식하게 되는 것은 아시아적 도시 철학이 잘 녹아 있으며 그러한 모습이 아시아지역학과도 부합하기 때문이다. 아시아지역학과 서울은 이러한 위에서 설명한 배경과 같은 점에서 궁합이 잘 맞고 실제로 서울 지역 사회에서는 아시아지역학에 관한 관심이 증가하고 주민들도 서울의 정체성을 만드는 것에 아시아지역학을 하나의 도구로 유용하게 사용하기도 한다.

2. 서울과 전문직 교육

우리 사회에서 가장 전문직이 많은 곳은 서울이다. 고로 서울을 바라볼 때는 전문직에 대해서 살펴보지 않을 수 없다. 대게 전문직이라고 하면 기본적으로 생각나는 것이 의사와 변호사이다. 전자는 의과대학 혹은 의학전문대학원에서 양성되고 후자는 법학전문대학원에서 양성된다. 하지만 의사와 변호사 모두 그 숫자가 부족하여 양성 시설의 증가가 요구되는 상황이다.

이러한 상황에서 전자인 의과대학은 '프리메드(Pre-med)'라는 새로운 개념이 등장한다. 이는 원래 미국과 같이 완전 의학전문대학원 체제인 국가에서 의전원 진학을 위해 받는 교육 트랙의 이름이었다. 하지만 근래의 우리나라에서는 의전원 혹은 해외 의대 진학을 위한 예비 학교 개념의 역할로 그 의미가 다소 변하였다. 그러므로 우리가 여기에서 언급하는 프리메드는 한국 사회에서의 의미에 국한하여 설명하는 것이다.

기본적으로 한국 사회에서 프리메드는 해외 의대 진학을 위한 사설 학원 혹은 교습소를 먼저 떠올린다. 하지만 이는 교육법 상 정식 학교가 아니므로 이에 대해서는 추가적으로 논의하지 않도록 하였다. 그러므로 국내 대학에서 프리메드를 하는 사례를 열거하면 대표적으로 숙명여자대학교 생명시스템학부가 존재한다. 알다시피 숙명여대는 의과대학이 없다. 하지만 의전원 혹은 해외 의대를 졸업한 숙명여대 동문이 상당하다.

이는 숙명여대 생명시스템학부에서 의전원 혹은 해외 의대에 진학하고자 하는 학생들에게 맞춤형 기본 의학 교육을 시행하고 관련 프로그램이 잘 개설되어 있기 때문이다. 이러한 것은 의대가 없어도 실질적인 의사 동문 네트워크를 구성해서 사실상 의대가 있는 효과를 낼 수 있는 것이다. 또한 사실상 의예과 역할을 하는 이러한 프리메드가 더 설치된 학과의 경우 생명보건대학 내 식품생명공학과, 정보융합대학 내 스마트헬스케어학부, 생명·나노과학대학 내 생명시스템과학과, 보건의료과학대학 내 바이오의약학과, 건강보건대학 내 바이오융합학부가 개설된 사례를 볼 수 있다. 이외에 인접한 메디컬 교육에 대해 좀 더 첨언을 하자면 수의과대학의 경우 건국대학교 수의과대학이 1위로 평가받는데 이러한 수의대는 생명공학대학 내 개설된 융합생명공학과를 수의대 판 프리메드로 본다. 또한 바이오융합대학 내 개설된 의생명과학부의 경우 수의과대학, 한의과대학 판 프리메드로 사실상 예과 수준의 연구와 교육이 실시되며 대게 한의학전문대학원, 수의학전문대학원으로 많이 진학하고 관련 지원을 학교에서 하는 편이다.

한편 후자인 법학전문대학원(로스쿨)을 살펴보면 국내에서 사법시험이 폐지된 이후 유일하게 법조인이 될 수 있는 교육기관이다. 또한 로스쿨이 설치된 대학은 정부 정책에 따라 법과대학을 폐지하였다. 하지만 로스쿨이 설치되지 않은 대학은 법과대학을 유지하고 있으며 법학사를 취득할 수 있다. 이러한 법과대학 중에서 일부 대학은 위에서 언급한 프리메드처럼 예비 로스쿨 형태로 법과대학 학부 과정을 온전히 유지하고 있다. 대표적으로 동국대학교, 단국대학교, 울산대학교, 한동

대학교, 조선대학교, 한남대학교, 청주대학교, 한림대학교, 제주한라대학교, 부산외국어대학교, 경상국립대학교, 숙명여자대학교 법과대학(법학과)이 있다.

또한 이들 대학은 미국 변호사 시험을 준비하기도 하는 등 사실상 로스쿨을 가지고 있는 효과를 내고자 한다. 또한 이러한 법예과형 로스쿨이 더 설치된 경우를 찾아보면 사회과학대학 내 경찰행정학과, 사회과학대학 내 법학과 혹은 법학부, 공공인재대학 내 법학과, 인문사회대학 내 법학과가 개설된 사례가 있다.

이러한 두 사례에서 보듯 전문직 교육은 법령상 면허를 부여할 수 있는 교육을 제공하는 기관이 없더라도 개별 교육기관의 노력에 따라서 그것이 있는 것과 사실상 동일한 효과를 낼 수 있음을 올바르게 알 수 있다.

3. 통일민주당의 역사적 고찰

　한국의 정당은 수도에 중앙당을 두도록 하고 있으므
로 정당 역사는 서울 역사의 일부이다. 이러한 한국 정
치사에서 민주당계 조상의 창시는 1955년에 창당된 민
주당으로 본다. 이후 민주당은 5.16 군사 반란 이후 일
시적으로 모든 정당의 해산을 제외하면 사실상 일관되
게 잘 이어진 것을 알 수 있다.

　그러나 12.12 군사 반란 이후 신민당이 해산되면서
이러한 민주당계 정당의 역사을 관찰하는 것에 혼란이
발생한다. 물론 신민당을 해산하고 대부분 정치 금지
조치를 받았으나 일부 여권에 호의적인 인사들에 의해
민주한국당이 창당되었고 이것이 신민당의 정통성을 일
단 그 상황에서는 계승한 것으로 본다.

　이후 민주한국당의 여당 2중대화에 반대한 당원과 정

치 금지 조지를 해금 받은 인사들에 의해 선명 야당인 신한민주당이 창당된다. 이 신한민주당의 창당으로 민주당계 정당의 정통성은 신한민주당으로 넘어간다. 그리고 1985년 총선 이후 신한민주당이 내각제 파동으로 인해 이를 반대한 김대중과 김영삼 세력은 통일민주당으로 분당한다. 이때의 통일민주당이 민주당계 정당의 정통성을 계승한다. 다만 이후 1987년 대통령 선거 과정에서 김대중과 김영상 두 후보의 단일화가 실패하고 이후 3당 합당으로 통일민주당이 사라지면서 해석상 여러 혼란이 발생한다.

당시 1987년 대통령 선거 정국에서 통일민주당과 평화민주당 중 민주당계 정당의 지지자와 재야 및 학생 운동권의 지지를 보편적으로 받은 것은 평화민주당이다. 고로 민주당계 정당의 정통성과 흐름을 볼 때는 평화민주당이 분당하여 창당된 시점부터는 평화민주당이 그 정통성을 가진다고 보아야 한다.

즉, 통일민주당이 민주당계 정당의 정통성을 가지는 것은 창당 직후부터 평화민주당 창당 직전까지 그 기간만이며 평화민주당 분당 이후에는 사실상 민주당계 정당으로 보지 않아야 한다는 해석도 존재한다. 고로 평화민주당 창당 이전의 통일민주당과 이후의 통일민주당을 분리해서 바라봄으로써 민주당계 정당의 정통성을 바르게 재해석하고 제대로 바라보아야 한다.

4. 국내 미션스쿨 현황

　일반적으로 국내 학교에서 종교 관련 교육을 하는 곳을 미션스쿨이라고 한다. 초등교육과 중등교육에서는 종교 재단이 학교를 소유하여도 대게 그 종교적 교육이 제한받는다. 하지만 대학의 경우 좀 더 재단의 종교 교육 자유성이 높다. 그러한 점에서 국내 미션스쿨 대학의 성격을 살펴보자면 종합대학과 리버럴 아트 칼리지형 대학을 구분해서 봐야 한다.

　종합대학의 경우 종교 교육을 하더라도 그것이 학교의 성격을 규명하는 것에는 별다른 영향을 미치지 못한다. 종교가 학교의 특색에 불과하기 때문이다. 하지만 리버럴 아트 칼리지형 대학의 경우 대개 대학원이 있어도 학부 중심 교육을 하며 학교 내부의 정원이 많지 않다. 또한 종교 교육의 농도가 종합대학에 비해 훨씬 강하다. 특히 국내에서 종교 관련 대학의 경우 종교에 종속하여 일반 과학을 해석하고자 하는 성향이 강해진다는 평이 있다. 그러므로 리버럴 아트 칼리지형 대학의 경우 그 대학은 사실상 인문사회대학이라고 봐야 한다.

즉, 일종의 인문사회 과학기술원으로 비유할 수 있다. 이는 종교 교육이 강하게 투영되고 실시되는 대학에서는 자연과학적 접근법이나 고찰에 어려움이 있고 종교 교육 특성상 문과에 가까우므로 그 대학의 성격을 문과대학으로 규정할 수밖에 없으며 서울 관내에 이러한 대학이 있는지 여부도 추가로 살펴보아야 한다.

5. 한국 외교의 재발견

   서울은 한국에서 외교 공관이 가장 많은 도시이다. 그렇기에 외교 부문에서 관심이 상당하다. 하지만 근래 한국 외교의 편협함이 일으키는 문제에 대해 상당히 많은 아쉬움이 지적되는 것은 사실이다. 이러한 부문에 대해서 적극적으로 해소할 방안에 대해서 깊이 있게 논의하고자 한다. 일반적으로 외교 공관에서는 종교에 대한 대표부 설치도 고려해 볼 필요가 있다. 바티칸 시국에 대한 대사관도 사실상의 천주교에 대한 대표부이므로 국제적으로 영향력이 강한 성공회와 정교회 관련 대표부(형식적으로는 해당 본부 소재 국가의 영사관 형태)를 만드는 것도 좋을 것이다.

   이외에 국제기구로 CONIFA, 사회주의인터내셔널, 자유주의인터내셔널, 중도민주인터내셔널, 해적당인터내셔널, 진보동맹, 진보주의인터내셔널, 상파울루포럼, 자유지상당국제동맹에 정부 혹은 정당 그리고 지역이 가입하는 것도 고려할 가치가 있다. 그리고 국가 간의 외교적 관계에 대해서도 살펴보면 폴란드, 네덜란드, 아르메니아, 구호기사단, EFTA와의 외교 관계를 강화해야 한다. 특히 네덜란드는 북유럽협의회와 비셰그라드 그룹에서의 영향력이 강하므로 더욱 주목해야 한다.

또한 경제 외교에서는 몽골, 러시아, 아프리카와 자유무역협정을 추진할 필요성이 있다. 이외에도 세계국가사회주의연합, 공산당-노동자당국제기구와 같이 급진적 이념 성향의 기구와도 최소한의 외교적 대화를 검토할 필요성도 제기된다. 더불어서 IMF 총재도 한국인 혹은 한국계 외국인이 할 수 있도록 하고 내몽골의 독립성 강화에도 기초적인 지원을 할 필요성도 있다.

스포츠 외교적 측면에서는 월드게임과 데플림픽을 유치하고 동계 월드게임 창설에 나서야 한다. 이외에 미식축구와 아이스하키가 국내에서 활성화될 수 있도록 지원할 필요성도 높다. 그리고 통일 외교 측면에서는 현재 민족화해범국민협의회를 키워야 하며 여기에 진보당, 정의당, 국민의힘, 사회민주당, 전국민주노동조합총연맹 등이 가입할 수 있도록 해야 한다.

또한 국제기구인 월드비전의 영향력 확대도 고민해야 하며 한반도 통일을 지지하는 일본 공산당, 영국 자유민주당과 같은 외국 정당도 관계를 건설하도록 해야 한다. 마지막으로 이를 서울이 주도한다면 서울 중심으로 하여 새로운 국제적 도약을 이끌 수 있을 것이며 특히 서울시 차원의 도시 외교도 모색해야 한다.

제 6 장

새로운 사고의 확장

1. 한류 문화 성장 방안과 친한 국가 만들기

지구촌 시대에는 문화적 소통이 중요하다. 고로 한국의 문화적 성장을 위해서는 한민족 문화를 반드시 키워야 할 필요성이 있다. 특히 다문화 시대에 그 동화 방안에 대해서도 심각한 고려가 필요하다. 이를 위해서는 한류로 유명한 국내 인기 아이돌의 외국인 멤버가 한국화될 수 있도록 영주권과 같은 편의를 제공하고 한국계 외국인의 성과에 대해서도 국내에 널리 알려야 한다.

특히 이러한 한국계 외국인 중에서 김용 전 세계은행 총재의 업적을 한국에 널리 알리는 방안에 대해서도 고려해 볼 필요가 있다. 이외에 대표적인 예시로 대만을 들 수 있다. 일반적으로 대만에서 외성인은 국민당 지지자이자 친중, 본성인은 민중당 지지자이자 친일로 여겨졌는데 여기에서 소외된 원주민, 귀화인과 합한족이

민중당 지지자이자 친한으로 결합하고 있다.

이러한 것을 적극 지원하고 대만의 문화적 기초 중 하나로 한국 영향력이 있다는 의견이 나올 정도로 강력한 역사적 교류 관계의 재조명과 문화적 전파 방안을 깊이 숙고해야 한다. 또한 국내 교회와 성당을 비롯한 다양한 종교 시설의 문화재적 가치를 다시 제고하여 기존의 관념을 창조적으로 탈피하여 새로운 문화유산의 확대를 꾀할 필요성도 통섭적으로 제기할 수 있다.

한편 이러한 한류 문화를 전파하기 위해서 그리고 외교적 장을 넓히기 위해서는 친한(親韓) 국가를 늘려야 한다. 대표적으로 친한 국가 후보군으로 꼽히는 곳은 영국과 아르헨티나다. 두 국가는 세계적인 존재감이 있으면서도 친한 국가가 되었을 때 우리에게 큰 도움이 될 수 있는 아주 중요한 국가라고 할 수 있다.

영국의 경우 영연방의 수장이자 유럽 왕실의 장자인 영국 왕실이 있어 세계적 영향력은 미국 다음이며 근래 미국과 거리를 두면서 영국권 확대를 꾀하고 있으므로 한국과 교류를 확대할 충분한 이유가 되며 우리도 영국과 동맹 수준으로 관계를 격상한다면 영국을 친한 국가로 만들 수 있는 가능성이 충분하다.

한편 아르헨티나는 인근의 브라질과 사이가 좋지 않아 갈등이 심하다. 브라질은 대표적인 친일 국가이므로 일본의 대항마로 한국과 연합하고자 한다. 지난 2002 월드컵 유치전에서 한국을 지지한 선례가 그러하다. 고로 아르헨티나와 교류 및 상호 유학이나 경제 협력을 강화하고 학술, 문화 교류도 늘려서 아르헨티나를 확실한 친한 국가로 만들어야 한다. 이러한 친한 국가가 늘어난다면 한류 문화 확산의 교두보 역할을 할 것이다.

2. 지리의 알파라이징 그리고 서울

서울은 지금도 확장하고 있으며 서울 근교는 사실상 서울이나 다름이 없다. 하지만 우리가 일반적으로 생각하는 행정구역은 실제 생활권과 일치하지 않는 경우가 많다. 고로 이러한 생활권은 문화적 지리라고 부른다. 국내에서 이러한 사례를 열거해보자면 천안시 성환읍은 사실상 평택시이며 안양시 박달동, 충훈동, 석수동은 서울특별시이고 양산시 웅상지역은 의령군 및 함안군과 상호 깊은 연고 관계가 있다. 이외에 포항시의 포항경주공항은 경주시 생활권이기도 하며 성공회대학교는 부천시와 깊은 연고 관계가 있고 원광대학교는 전주시와 깊은 연고 관계가 있다.

또한 전주시와 익산시는 익산시가 전주시의 배후도시이고 대학을 비롯하여 상호 교류가 활발한 점도 있으므로 이러한 문화적 지리에 대해서 잘 이해하고 실제의 생활권에 따른 도시 교류도 추진할 필요가 있다. 이러한 것을 서울이 주도한다면 아시아 선도 도시이자 확장 서울로 젊고 강한 도시로 도약할 것이다. 한편 이러한 문화적 지리는 알파라이징을 통해서 해석이 가능하다.

일반적으로 알려진 것처럼 서울은 알파라이징의 도시이다. 여기에서 알파라이징은 서로 다른 세상이 만나 새로운 가치를 창출하고 세상의 진화를 이끈다는 뜻으로 세계의 혁신적 변화를 집약한 신조어이다. 그 예시로 KTX와 경쟁하는 SRT가 독일 ICE를 참고할 필요가 있다든지 스칸디나비아의 범위에 핀란드를 포함하는 것과 한의학이 중의학을 넘어 세계의 대체의학을 흡수하여 발전할 필요성이 있는 것을 들 수 있다. 또한 위에서 언급한 것 이외에도 아시아와 중동을 분리해서 지리적으로 바라보는 것 마틴 루터 킹 비폭력 평화상과 같은 대안적 평화상을 높이는 것도 그러하다.

한편 상식을 바로 세우는 것도 이러한 알파라이징의 하나일 수 있다. 설과 추석에서 유교적 색채를 빼고 보편적 민족 명절로 만들고 일부 연예인 우표는 나만의 우표로 공식 우표가 아니므로 그것에 대한 허위적 의미를 삭제하고 지역 명칭을 사용하는 사립대 중 울산대학교처럼 국립대에 준하는 무게감을 가지면 준 국립대로 인정하는 것과 같은 혁신도 상식의 재정립이자 올바른 알파라이징이다. 그러므로 이러한 사례를 통해 서울의 알파라이징적 선도를 주도하여 이끌어야 한다.

　또한 이외에도 카르타고를 재조명해야 하는 것과 튀니지가 그 적통 후신이며 직접적으로 현재의 튀니지 문화에 영향을 준 것 그리고 로마에 의해 카르타고의 폄하를 걷어내고 올바르게 카르타고를 이해해야 하는 것과 위헌 정당으로 해산하여도 그 구성원 중 일부가 창당한 정당이 현재의 헌법 체제를 존중하고 그 상황에서 정당 운영이 이루어지면 그것은 해산된 정당과 별개로 봐야 하는 것도 알파라이징적 사고가 끌어낸 여러 연구 성과이다. 그러므로 이러한 알파라이징에 대해 서울이 깊이 있게 탐구해야 하는 중요성을 다시 한번 역설할 수 있으며 그것이 도시 경영에도 도움을 주는 것을 알 수 있다. 고로 알파라이징에 대해 천착해야 한다.

3. 카르다쇼프 척도 1단계 문명의 중요성

    현재 한국을 비롯하여 인류 문명은 아쉽게도 카르다쇼프 척도 1단계 문명도 되지 못했다. 우리가 상온 초전도체에 흥분한 것도 이러한 인류 문명 발전을 앞당기고자 하는 마음에서 비롯된 것이다. 아시아지역학도 이러한 인류 문명 발전에 이바지하는 것을 사명으로 하면서 많은 학자들이 지금 이시간에도 잠을 자지 않고 노력하며 연구하고 있다. 이 가운데 우리는 우리가 가진 것의 소중함을 여겨야 한다. 물론 유교와 같은 구시대의 잔재는 일소해야 하지만 한의학과 같은 우리의 소중한 것은 반드시 챙기고 발전시켜야 한다. 또한 아시아지역학이라고 하면 다소 따분하지만 그래도 인도와 몽골의 아주 가까운 역사적 관계를 서방 학자가 찾지 못했지만, 아시아지역학에서는 찾아냈다는 의의도 있다.

또한 아시아지역학은 사고를 확장해 준다. 예를 들어 55년 체제 일본의 총리는 대부분 자유민주당 출신이다. 하지만 헤이세이 시대가 되면서 호소카와 모리히로, 하타 쓰토무, 무라야마 도미이치, 하토야마 유키오, 간 나오토, 노다 요시히코 같은 민주당 총리도 배출되었다. 이는 정치가 자민당에 쏠려있는 일본도 민주당 총리를 조금이나마 배출하여 최소한의 비주류 생존을 보장하는 것이다. 그 덕분에 근래에 민주당은 다시 한번 정권을 잡을 수 있다는 소식이 들린다. 이러한 사고의 확장은 일본 총리의 예시에서 보듯 외국어대학에 대한 우리의 편견을 일소한 전력이 있다. 보기에는 자연계 학과 위주 대학이라 쉽사리 외국어와는 관련 없다고 쉽게 사고하지만 실제로는 생명과학정보학과, 산업경영공학과, 디자인학부, 예술학부, 정보통신공학과는 외국어를 많이 다루고 특히 특수외국어도 해야 하는 만큼 사실상 외국어대학과 다를 바가 없다는 것도 새로이 알게 된 사실이며 특히 자연캠퍼스 내에 설치된 자연과학대학, 공과대학, 예술체육대학, 건축대학, 국제학부는 외국어를 상당히 많이 다루고 희귀한 언어도 학문적으로 다뤄야 하기에 외국어대학이라고 불려도 손색이 없을 정도이다. 그리고 자연캠퍼스에서 가르치는 과목 중 '현대중국의 이해[1]', '중국문명사와전통문화'는 중국이지만 사실상 인도에 대해서 가르치는 과목이다. 이는 중국 관점에서 인도를 중국 문화권에 포함된다고 보는 시간에 기인한 것으로 다소 중국에 기울어진 친중적 입장이기는 하지만 인도에 대해 심도 있게 다룬다는 점에서 의의가 없지는 않은 편이며 자연캠퍼스가 특수외국어를 중시하고 학술적으로 필요하다는 상당한 증거이다.

이외에 경영학 과목으로 경제학, 국제행정론, 위대한 지도자와그들의선택, 정치학, 중국문명사와전통문화, 삶과철학중국어강독, 중국통상및시사, 문화예술과감각활용, 바이오헬스인문학, 4차산업과서비스경영2, 국제지역학, 중국어권문화가 있고 이것은 아시아지역학 과목으로도 활용된다는 것도 이를 통해서 새롭게 알 수 있다. 고로 이러한 혁신과 사고적 탐구가 카르다쇼프 척도 1단계 문명 달성에 상당한 도움이 되는 것이다.

---

1) Understanding Contemporary China

4. 영남과 호남의 지역갈등 해소 방안

　한국 사회에서 상당한 정치적 문제이자 필수적인 해결 과제로 꼽히는 영남과 호남의 지역 갈등은 우리 사회의 해묵은 폐단이자 고통으로 손꼽힌다. 물론 현재는 양 지역 간의 교통과 통신이 발달하면서 오해나 편견은 사라졌지만, 정치적 편향성은 아직 해소되지 못했다.

　이는 다른 지역과 달리 특정 정당이 한 지역을 독식하므로 지역주민에게 이익이 되지 못하며 경제적으로도 불비한 경우가 많이 발생하여 큰 부담과 어려움을 야기한다. 따라서 이를 해소하기 위해서는 제도적 개선도 필요하고 양 지역의 정당 조직 육성도 필요하지만 먼저 행정적 부분에서 개선과 교류를 제시하고자 한다.

　상호 간의 부지사 교환 임명을 추진한다면 지역감정 해소와 정당 조직 형성에 도움이 될 것이다. 예를 들어

전라남도 부지사, 광주광역시 부시장에는 국민의힘 인사를 임명하고 경상북도 부지사, 대구광역시 부시장에는 더불어민주당 인사를 임명해야 한다. 이러한 교차 임명을 조속히 유도하기 위해서 4개 지방자치단체에는 상대 정당 소속 인사만 임명할 수 있는 사회통합부단체장을 신설하여 부단체장을 하나 늘려준다면 그러한 유인 요소가 상당할 것으로 생각한다.

아울러 대구광역시 경제부시장에 더불어민주당 인사가 임명된 적이 있지만 이는 일시적이었고 경상남도, 부산광역시, 울산광역시는 더불어민주당 지방자치단체장과 부단체장 그리고 지방의원이 여럿 탄생한 사례가 있으므로 이 지역은 본 제도를 도입하지 말고 내부에서 조직 건설을 해야 한다.

마지막으로 전북특별자치도의 경우 영남에서 PK에 대응하는 지역이지만 국민의힘 지지율이 PK[2]에서 더불어민주당에 미치지 못하므로 사회통합부단체장을 도입하여 국민의힘 계열 인사를 임명함과 더불어서 전주시에도 사회통합부단체장을 도입하고 전북특별자치도의

---

[2] 부산광역시, 울산광역시, 경상남도를 통칭하여 일컫는 말

회와 전주시의회에도 사회통합자문관을 도입하여 국민
의힘 인사를 임명해야 한다. 또한 국민의힘 차원에서도
전북에 대한 지원과 전북 출신 인사에 대한 배려와 비
례대표 국회의원 임명 등이 필요하고 더불어민주당도
PK를 일부 얻은 만큼 전북에서는 국민의힘에 일부 양
보가 필요하다고 할 수 있다.

제 7 장

도전적인 다양성을 만나보다

1. 지방 소멸과 저출산 그리고 대재앙

한국 사회의 출산율이 날이 갈수록 떨어지고 있다. 이러한 상황이 계속된다면 한국의 존망은 바람 앞의 등불과 같다. 이 상황에서 출산율을 올리고 지방 소멸을 막으려면 획기적인 전환이 반드시 필요하다.

우선 기본적으로 청년에 대해 존귀한 인식을 가져야 한다. 우리나라는 존속살인죄가 존재한다. 비속이 존속을 살해하면 가중 처벌을 받는데 구태의연한 유교적 악습에서 비롯된 법률이다. 외국에서는 살인죄와 동일하며 별도의 법조목이 없고 오히려 부모가 자녀를 살해하면 가중처벌 받는다. 이는 노인에 비해 청년이 사회적 기여가 앞으로 많고 사회를 젊게 하므로 그 생명의 가치를 더욱 중요하게 보는 것이다. 그러나 우리는 이를 반대로 보고 있으니, 선진국처럼 올바르게 바꿔야 한다.

또한 지방 소멸의 해소는 기본적으로 저출산 해소이다. 출산율을 높이기 위해 불필요한 행위를 하지 말고 출산 시 1억을 지급하는 것이 가장 합리적이다. 그리고 우리보다 먼저 저출산을 극복한 영국과 협력하여 여러 노하우를 얻고 제대로 개선해야 한다.

　이외에 지방 소멸을 방지하기 위해서 획기적인 지방 지원이 필요하다. 제2차 혁신도시를 통해 공기업, 공공기관, 정부 부처의 이전이 필요하다. 여성가족부, 산업은행, 중소기업은행, 한국지역난방공사를 이전하고 어촌진흥청 관련 법률을 통과시켜서 지방에 어촌진흥청을 설치하고 어민 조직을 지원하여 확대하고 지방의 어업도 살려서 일자리도 창출해야 한다. 그리고 과거 지방 소재 은행을 인수한 시중 은행의 지방 기여를 확대하고 대기업의 지방 이전을 위한 인센티브를 늘려야 한다.

　인프라 측면에서는 지방에 소재한 지하철을 늘리고 급행을 도입해야 하며 한국방송공사 산하 지방 총국을 독립시켜서 총국장 명칭을 사장으로 변경하고 자체적인 인사권, 재정권, 편성권을 부여해야 한다. 그리고 지방 언론에 대한 지원도 아끼지 말아야 한다.

행정적인 측면에서는 특례시의 독립성을 강화하여 특례시 명칭의 법적 사용을 허용하고 특례시마다 지방법원을 설치해 주며 비수도권은 인구가 50만이 넘으면 특례시 설치를 허용해 주어야 한다. 또한 안동시, 경주시와 같이 역사성이 높은 도시는 인구와 상관없이 특례시를 설치하고 관련 지원과 권한을 일반 특례시와 동일하게 차별이 없도로 해야 한다.

한편으로는 수도권의 역차별 해소를 위해 용인시와 같은 시에는 법원을 비롯한 관련 행정 기관을 설치하고 세종특별자치시는 충북권에 넣어서 충남권과 충북권의 균형을 맞추어야 한다. 그리고 지방 소재 사업장을 늘리기 위해 공식 지점 등록을 하지 않더라도 사실상 그 지역에서 장소를 두면서 사업을 영위하면 사실혼처럼 사실상의 지점으로 법적 인정과 보호를 하여야 한다. 또한 교육적 측면에서 지방 대학에 관한 지원 확대와 의대 증원을 늘리고 울산대 법대처럼 우수한 학과를 지원하면서 울산대, 조선대, 동의대, 한동대, 경상국립대에 로스쿨 설치도 적극적으로 고려해 보아야 한다.

결론적으로 위에서 언급한 다양한 방안들을 적극 시

행하여 지방 소멸과 저출산의 늪에서 빠져나와 한국이 새로운 성장의 장을 열 수 있도록 정부와 국민 그리고 기업이 최선을 다해야 한다.

2. 원더걸스와 한류

　근래에 한국의 가수들은 세계적인 인기를 가지고 있으며 빌보드나 국제적 상을 받는 것은 더 이상 뉴스가 될 수 없을 만큼 한류가 세계 주류 문화가 되며 한국 음악이 국제적으로 위상을 떨치고 있다. 그러나 이러한 시작에는 원더걸스의 무모한 미국 진출과 성장이 있었다. 다들 알다시피 원더걸스는 한국 역사상 최고의 인기를 구가한 걸그룹이다. 해외 진출도 하지 않았는데 중국, 일본, 대만, 인도, 이란, 아랍, 동남아시아, 중앙아시아에서 엄청난 인기를 끌었다.

　하지만 당시 우리나라는 서방에 밀려 문화적으로는 변방이었기에 한류의 인기는 아시아에 국한되었고 비아시아권에서 한류의 인기가 아쉬웠다. 이를 원더걸스는 정면으로 돌파하고자 미국에 진출했고 아무도 예상하지 못한 한국 가수 첫 빌보드 100 진출이라는 성과와 북미 대륙에 최초로 한국 음악의 인식을 하게 만들었다. 그리고 원더걸스는 북미를 넘어 남미, 유럽, 아프리카, 오세아니아까지 세계에 그 명성을 크게 얻었으며 특히 발매곡인 는 인도에서 엄청난 판매량과 인기를 끌었던 것으로 상당히 유명하다.

결론적으로 한국 아이돌 가수가 세계적인 인기를 끌게 된 것도 그리고 처음 그 세계적 인기를 누린 것도 모두 원더걸스의 공이다. 그 덕분에 과거에는 엄청난 영향력을 가진 방송국 음악 프로그램과 국내 음악상이 이제는 원더걸스가 워낙 세계에서 상을 받고 인기를 끌고 나서 아무도 관심 가지지 않게 된 것이다.

고로 원더걸스 덕분에 현재의 한류가 있으며 현재의 걸그룹 모델은 원더걸스를 벤치마킹한 것과 다름없다. 그래서 세계에서는 원더걸스를 아시아 대표 걸그룹이자 최고의 걸그룹으로 여기고 존경하며 사회적 현상으로 연구하는 것이며 심지어는 외국에는 작은 박물관도 존재하고 원더걸스 이름을 딴 숲이 만들어지고 우표와 카드도 발행되었을 정도이다. 그러므로 원더걸스가 있기

에 지금의 한류와 한국 음악의 세계적인 확산이 있었
다. 후배 가수와 관련 종사자들은 이를 기억해야 하며
이를 기억하지 못한다면 상당히 좋지 않은 것이다.

3. 철학으로 보는 한반도

  우리가 살고 있는 한반도는 중국과 일본 사이에서 자주성을 지켜온 고유한 영역이다. 이러한 한반도를 수호하기 위해서는 그 역사를 보고 철학을 구상해야 한다. 특히 근래에 미국과 중국의 갈등 속 한반도가 살길을 모색해야 하는 것이 현시대의 가장 중요한 과제이다. 특히 현시대의 미국과 중국의 갈등은 신냉전이라고 불릴 만큼 몹시 심각하다. 이러한 현실 속에서 한반도의 운명은 심각하며 잘못하다가는 과거처럼 또 열강에 끌려다닐 수 있는 위험이 있다. 우리는 우리의 자주를 지키고 독자적인 목소리를 내기 위해서는 한반도 문제에 대해서 2가지 관점을 가져야 한다. 그렇기에 친미도 친중도 아닌 '제3의 선택'이 요구된다.

  먼저 우리의 지정학적 상황을 살펴보면 우리는 중국

이 지리적으로 가깝기에 중국의 영향력이 좀 더 강한 편이다. 이때 중국의 모든 국력이 한반도에 집중된다면 우리는 어떠한 것도 할 수 없다. 그러므로 대만, 몽골과 같이 다른 곳으로 관심을 돌려서 한반도에 집중하지 못하도록 해야 한다. 이와 더불어서 인도와 같은 제3세력을 한반도에 개입시키고 복잡하게 문제를 만들어서 완충 세력이 존재하도록 해야 한다. 그리하면 미국과 중국도 직접적으로 한반도에서 충돌하지는 않을 것이다. 그러므로 우리는 절대로 미국과 중국의 한쪽 편을 들어서는 안 되며 단순한 중립이 아닌 능동적 중립을 통한 제3의 선택을 해야 한다. 그러기 위해서는 중국과 경쟁할 수 있고 미국의 영향력 밖에 있으면서도 세계의 공장과 그 무역의 힘을 분산하는 인도를 키워야 한다.

한편 자주성을 위해 동학 철학의 재발견이 필요하다. 독자적인 철학이 없는 국가는 아무리 부유해도 다른 국가의 정신적 식민지이다. 우리나라도 철학이 존재하지만 서양 철학이거나 동양 철학이라도 중국의 유교, 도교 철학이거나 아니면 인도의 불교 철학이다. 고로 우리의 독자적 철학인 동학을 키워서 발전해야 성장할 수 있다. 특히 현대 사회는 복잡성이 증가하는 사회이므로 후천개벽을 주장했던 동학의 면모가 잘 적용될 수 있을 것이다. 그리고 동학은 물리학의 반물질 개념을 적용할 수 있다. 하나의 예를 들면 이중성(duality)이나 상호보완성(complementarity)에 대한 철학적 개념에 반물질을 접목해 볼 수 있다. 물리학에서, 모든 입자는 그에 상응하는 반입자(반물질)를 가지며, 이 두 가지는 서로 없앨 수 있는 관계이다. 이것은 어떤 방식으로 보면 같은 존재의 두 가지 다른 면을 나타내는 것일 수 있으며, 우리가 세상을 이해하는 방식에 대한 통찰력을 제공할 수 있다. 이러한 생각은 동양 철학의 중요한 요소인 '음양' 개념과 도 관련이 있다. 음양은 서로 대립하면서도 보완적인 원리로서 우주의 모든 현상을 설명하려고 하므로 비슷하다. 이와 관련한 또 다른 예시로는 '존재와 부재'라는 주제를 들 수 있다. 반물질과 물질이 만나면 서로 소멸하므로, 이것은 '부자'라는 개념으로 연결될 수 있다. 즉, 어떤 것이 존재하더라도 그 반대편에서 그것이 없어지게 하는 힘이 작용한다고 볼 수 있다.

한편 순수한 한국 철학은 대부분 동학의 우산 아래에

있기는 하나 천도교, 대종교, 증산교는 그 연관성을 튼튼하게 했지만, 아직 무교(巫敎), 원불교, 선교와의 철학적 연결은 부족하므로 이 부분에서 보완이 필요하다고 할 수 있다. 또한 아시아지역학의 경영학 접목 사례처럼 경영학을 깊이 있게 연구하고 회계나 인적자원관리 같은 경영학적 기술을 응용하여 동학 철학의 기능으로 접목한다면 창조적 활용과 현시대에 맞는 실용적 면도 발굴할 수 있을 것이다. 이렇게 동학을 21세기에 맞게 재편한다면 우리 철학의 기반을 강화하고 앞으로 여러 이론적 배경이 탄생하여 정신적 독립성을 강하게 지킬 수 있을 것으로 기대된다.

과거 한민족 최초의 국가 고조선을 살펴보면 동아시아에서 중국과 한국은 상호 교류하지만, 별도의 문화권을 가지고 있다는 증거 중 하나로 오랜 기간 독립된 국가로 있었다는 것을 들 수 있다. 이러한 점에서 한민족 최초의 국가인 고조선은 그 의미가 상당하며 태초부터 자주적인 독립 국가로 구성되었다. 그러나 중국 왕조 중 일부가 고조선에 대해서 왜곡하여 우리가 중국에 종속된 국가인 것처럼 보이도록 여러 왜곡을 하였다는 주장이 있다. 일례로 기자조선이 거짓인 것은 이미 대중도 알 만큼 유명하다. 이는 위만조선을 변형하여 기자조선이라는 이야기를 창작한 것으로 중국 사서에서 말하는 기자는 모두 위만으로 보고 해석하면 된다. 그러나 위만이 중국 사람이라는 것은 중국의 주장에 불과하다. 실제로 위만은 귀화한 중국 사람이 아니라 준왕의 동생이다. 즉 준왕과 위만이 왕권을 두고 형제간의 군사적 충돌과 위만의 군사 쿠데타가 이어진 것이다.

상식적으로 귀화한 사람이 갑자기 세력을 모아서 왕위를 찬탈하는데 백성들이 동조하는 것도 역사상 유례를 찾기 어려운 일이다. 무력으로 국가를 정복하고 지배 세력이 되었음에도 기존의 지배 세력의 모든 요소를 그대로 유지한다면 어떤 형태로든 금방 왕권이 뒤집힐 가능성이 높음에도 그리한다는 것은 비정상적이다. 고로 준왕과 위만은 형제 관계이고 상대적으로 중국과의 교역을 강조한 위만이 왕위를 물려받은 준왕의 왕권을 탈취하기 위해 상대적으로 감시의 눈초리가 약한 국경 인근에서 세력을 키우고 중국과 교류하면서 쿠데타를 벌이고 왕권을 찬탈한 것으로 보는 것이 상식적이다.

또한 위의 가설을 토대로 보면 위만에게 왕권을 찬탈당한 준왕이 한반도 남부로 하방하여 설립했다는 진국(辰國)은 거짓에 가깝다.

실제로 한반도 전역과 만주 일대는 고조선에 의해 단일적으로 통치되었으며 진(辰)의 경우 한반도 남부 일대를 부르는 지명에 불과하다.고로 진국은 준왕이 쿠데타 이후 남부로 귀양 간 것을 중국에 의해 일부 유리하게 변조되어 그 역사가 왜곡되고 창작된 것이다. 한편 현재 대한민국의 국호에도 사용되는 한(韓)의 경우 몽골의 칸처럼 고조선의 왕을 부르는 하나의 명칭이자 국호의 별칭으로 보아야 한다. 당시에는 왕이 제사장 역할을 겸했고 신라의 이사금처럼 최고 직함이 유일하게 왕만 사용하였으므로 그 명칭을 국호처럼 부르기도 한다. 고로 조선과 한은 동일한 의미로 봐야 하는 것이다.

또한 위에서 언급한 진은 준왕이 남부로 내려가면서 한이 왔다고 백성들이 부르던 것이 변형되어 진으로 불리게 되었고 그것이 일종의 지명으로 굳어진 것으로 볼 수 있다. 나중에 등장하는 삼한도 이러한 영향을 받았다. 다만 진한 이외에 변한과 마한의 경우 '진'이라는 단어를 '진한'이 독점하자 독자성을 보이기 위해 '변'과 '마'라는 글자를 '한'에다 붙인 것으로 보아야 한다.

한민족 최초의 국가인 고조선이 멸망하고 열국시대가 열린 것을 살펴보면 고조선이 왕검성 전투를 통해 전한에 멸망당하고 한사군이 세워져서 식민 지배를 받았다는 서술을 일부 저서에서 볼 수 있다. 그러나 이것은 사실과 다르다. 진한에 의해 고조선이 멸망한 것은 사실이지만 고조선 전역을 완전히 통치하지 못하고 한사군을 설치한 일부 영토만 얻고 나머지 영역의 경우 지방 호족들이 군소 군가를 형성하게 된다. 즉 중앙정부가 일순간에 사라져서 지방정부가 별도의 국가를 이룬 것과 같다. 이 과정에서 부여, 동예, 옥저, 마한, 진한, 변한 등 여러 국가가 등장하고 이것이 다시 고구려, 백제, 신라의 3개 세력으로 정리되는 기간을 열국시대라고 일반적으로 칭한다. 또한 고구려와 백제의 경우 고조선을 가장 강하게 계승했다고 주장하는 부여의 직접적인 후신이지만 신라 역시 고조선의 권위를 입히고 준왕의 권위도 얻기 위해 서부여라고 부르기도 하였다.

그러므로 이러한 점에서 신라, 백제, 고구려 모두 고

조선의 계승국으로 볼 수 있다. 한편 가야의 경우 통일된 집단을 이루지 못하였고 백제의 전성기에는 백제의 종속국이 되었고 신라의 전성기에는 신라의 종속국이 되었으므로 사실상 백제와 신라의 연장선 중 하나로 보는 것이 옳다.

한편 대한제국의 멸망 시점을 고찰하면 일반적으로 대한제국에 멸망일에 대해서 1910년 8월 29일로 여겨지고 있다. 이는 한일병합조약에 따라 대한제국이 일본제국에 흡수되었던 날이다. 그러나 이러한 견해는 몇 가지 문제점이 있다. 먼저, 한일병합조약은 대한제국 국새가 날인되지 않았으며 황제의 서명도 없는 조약이다. 이는 국제법적으로도 무효이다. 따라서 이 조약이 무효라면 대한제국의 멸망일은 대한민국 임시정부 수립일인 1919년 4월 11일이다.

비록 일제의 강제력으로 인해 행정권을 잃게 되었지만, 앞서 언급한 조약의 무효성을 고려하면 1910년 8월 29일 이후에도 대한제국과 황실은 여전히 존재한 셈이다. 한편 대한제국에서 대한민국으로 변화하는 과정은 1917년 대동단결선언에 따라 공화국 건설 제안이 공식적으로 제기되었다.

　이러한 제안이 3.1 운동을 통해 전국적으로 모든 백성이 암묵적으로 수용하며 주권이 황제에서 백성으로 이양되고 대한민국 건국으로 나아간 것이다. 그러므로 대한민국 임시정부가 수립되면서 대한민국이 건국되어 대한제국의 주권이 이양되었고 1948년 8월 15일에는 완전한 자주독립국으로서의 정식 정부가 수립된 것이다. 따라서 대한제국은 1919년 4월 11일까지 존속하였으며, 그 당시까지 순종 황제가 재위하고 있다고 보아야 하며 대한민국 임시정부의 수립과 함께 대한제국은 해산되고 주권을 이양한 것으로 여겨져야 한다. 그러므로 이러한 철학을 계승하고 한반도의 자주성을 반드시 지켜나가야 하는 것이 우리 시대의 임무이다.

4. 화교를 만나보다

　우리가 흔히 생각하기에 세계 최대 디아스포라는 화교이다. 그리고 그 화교는 세계적으로 규모가 상당하며 디아스포라 2위인 인도인과는 격차가 다소 있는 편이다. 한편 표준국어대사전에서 디아스포라를 찾아보면 '흩어진 사람들이라는 뜻으로, 팔레스타인을 떠나서 온 세계에 흩어져 살면서 유대교의 규범과 생활 관습을 유지하는 유대인을 이르던 말'이라고 되어 있다.

　일반적으로 세계에 퍼진 민족 하면 유대인이 연상되기에 사전에도 그리 적혀있다. 하지만 '디아스포라'라는 의미는 확장되어 민족이 세계 각지로 퍼진 경우에도 널리 사용된다. 인도나 일본 디아스포라라는 말도 근래에 흔하다. 하지만 세계 최대의 디아스포라는 위에서 설명한 것처럼 화교이다. 전 세계 어디를 가도 '차이나타운'

은 존재하며 어느 국가에도 중국인은 존재한다. 이는 중국이 고대에 널리 퍼진 역사도 있지만 제국주의 시기의 이민이나 노예로 팔려 온 비극적인 경우도 있다.

또한 중국은 해당 국가로 가서도 완전히 동화되지 않고 독자적인 문명공동체를 이뤄냈다. 이는 인류 문명사에서 매우 독특한 사례로 다른 민족의 디아스포라와 다른 차별화된 점이다. 이러한 점에서 화교로 불리는 중국인의 디아스포라는 문명사적 의의가 있으며 문명을 연구하는 학자들의 깊은 관심이 요구된다. 화교와 문명을 보면 대게 문명들 사이의 교류와 갈등에서 형성된 세계의 보편적인 성격을 거시적 수준과 미시적 수준에서 동시에 이해하기 좋은 사례 중 하나가 화교이다.

그리고 중국 화교의 문화와 역사는 중국의 역사와 문화, 그리고 세계 각국의 역사와 문화를 바탕으로 형성되었다. 따라서, 중국 화교의 역사와 문화를 이해하기 위해서는 중국의 역사와 문화, 그리고 세계 각국의 역사와 문화에 대한 이해가 필요하며 두 가지가 융합된 것은 문명사적으로 몹시 독특하고 의의가 있다. 한편 그러한 것을 살펴보는 데 있어 중국 화교의 세계 분포와 현황은 세계 각국의 역사와 문화에 영향을 받았다고 보아야 한다. 따라서, 세계사와 인류 문명 관련 과목을 통해 세계 각국의 역사와 문화를 이해하면 중국 화교의 세계 분포와 현황을 이해하는 데 도움이 될 수 있다. 하지만 그것을 살펴보는 것에 있어 동양과 서양의 생성과 발전을 살펴보고 문명의 역사적 특수성과 물질적 토대를 이해하여야 깊이 있게 제대로 볼 수 있다.

중국 화교의 문화적 특징은 중국의 역사와 문화, 그리고 세계 각국의 문화적 영향을 받아 독자적이고 창조적으로 형성되었다. 따라서, 세계사와 인류 문명 관련 과목을 통해 중국의 역사와 문화, 그리고 세계 각국의 문화를 이해하면 중국 화교의 문화적 특징을 이해하는 데 도움이 될 수 있으며 그러한 부문을 적극적으로 분석하고 확대한다면 지식인 내부에서도 더 많은 연구와 문명사의 발전에도 크게 이바지할 수 있을 것이다.

한편 중국이지만 사실상 별개의 문화권이자 화교가 만든 하나의 권역인 홍콩 문화의 형성과 특징을 살펴보면 홍콩은 중국 남동부에 있는 특별 행정구역으로, 1842년 아편전쟁 이후 영국의 식민지가 되었다가 1997년 중국에 반환되었다. 이러한 복잡하고 어려운 역사적 배경으로 인해 홍콩 문화는 동서양의 문화가 혼재된 독특한 특징을 가지고 있으며 중국어권 문화 중 대표로 우리나라 사람들에게 인식된다.

　홍콩 문화의 가장 대표적인 특징은 다양성이다. 홍콩은 영국, 중국, 미국, 일본 등 다양한 문화권의 사람들이 모여 사는 도시이다. 이러한 다양한 문화가 서로 영향을 주고받으며, 홍콩만의 국제적이면서도 자유로운 독특한 문화를 형성하였다. 홍콩 문화의 또 다른 특징은 개방성이다. 홍콩은 세계적인 무역항과 금융 중심지로, 다양한 문화와 정보가 교류하는 도시이다. 이러한 경제적으로 개방적인 분위기는 많은 외국 자본 유치를 부르고 이는 다시 홍콩의 투자가 되어 그 내부 문화를 더욱더 풍요롭게 만드는 긍정적인 요인으로 작용한다.

　홍콩 문화의 대표적인 예시로는 음식을 들 수 있다. 홍콩 음식은 중국 본토의 음식과 서양 음식이 혼합된 형태를 띠고 있다. 대표적인 음식으로는 딤섬, 에그타르트, 차우파이 등이 있다. 또 다른 예시로는 언어를 들 수 있다. 홍콩에서는 광동어, 영어, 중국어(표준어)가 공용어로 사용되고 있다. 이러한 다양한 언어의 사용은 홍콩의 문화적 다양성을 잘 보여주는 사례이다.

이외에도 홍콩 문화에는 영화, 음악, 예술 등 다양한 분야에서 독특한 특징을 가지고 있다. 홍콩 영화는 세계적으로 인정받는 수준을 자랑한다. 한편 홍콩 음악은 다양한 장르의 음악이 혼재되어 있다. 또한, 홍콩 예술은 동서양의 문화가 조화를 이루는 독특한 특징을 가지고 있다. 홍콩 문화는 동서양의 문화가 조화를 이루며 독특한 특징을 형성하고 있다. 이러한 홍콩 문화들은 홍콩을 더욱 매력적인 도시로 만드는 요인으로 작용한다. 이러한 홍콩 문화는 중화 문명권이 우리가 아는 중국의 한 모습만 아니라 전혀 색다른 모습으로도 나타날 수 있음을 의미하는 사례이다.

한편 중국과 별개인 화교 국가인 대만 문화의 형성과 특징을 보면 대만은 타이완섬을 지배하고 있는 국가로 중화민국이 국부천대로 인해 정착했으나 현재는 독립 세력인 민주진보당을 중심으로 한 범록연맹이 강세이기에 사실상의 독립적 세력으로 국제 사회에 여겨진다. 한편 중국은 국제법에 반하여서 대만을 자신의 영토로 생각하며 독립국으로 인정하지 아니한다.

　대만의 문화는 중국 대륙의 한(漢)문화를 중심으로 대만 토착민 문화, 일본 문화, 유럽 문화 등의 영향이 서로 만난 문화이다. 대만은 중국 대륙에서 남쪽으로 약 1,500km 떨어진 곳에 있는 섬으로, 오랜 역사 동안 다양한 문화의 영향을 받아왔다. 원래 대만의 토착민은 약 2만 년 전부터 대만에 거주해 온 원주민으로, 현재 약 26개의 부족으로 나뉘어 있다. 토착민들은 자신만의 독특한 문화를 가지고 있는데, 대표적으로 뱀 숭배, 부족 별 고유한 언어, 독특한 의상 등이 있다.

　대만은 1624년 네덜란드의 지배를 시작으로 1895년까지 일본의 지배를 받았고, 1945년 이후에는 중국에서 이주해 온 한족이 대다수를 차지하게 되었다. 이러한 역사적 배경으로 인해 대만 문화는 중국의 문화와 일본 문화의 영향을 동시에 받았다. 기본적으로 대만 문화의 특징으로는 주로 3가지 요소를 볼 수 있다. 먼저 다양성인데 이는 대만이 다양한 문화의 영향을 받아왔기 때문에, 매우 다양한 문화적 특징을 가지고 있다. 또한 개방성도 있는데 이는 대만은 외국 문화에 대한 개방성이 높아, 다양한 문화적 요소가 공존하고 있기 때문이다. 한편 현대성도 특징으로 대만은 경제적으로 발전한 국가로, 현대적인 문화를 가지고 있고 주위 국가들보다 발전 수준이 높다는 것에서 그러한 점이 드러난다.

한편 대만의 종교는 불교, 도교, 기독교 등이 혼재되어 있다. 불교는 대만에서 가장 널리 퍼진 종교로, 약 30%의 인구가 불교를 믿고 있다. 도교는 약 25%의 인구가 믿고 있으며, 기독교는 약 20%의 인구가 믿고 있다. 또한 대만의 예술은 중국 전통 예술과 서양 예술의 영향을 동시에 받았다. 중국 전통 예술로는 서예, 회화, 음악 등이 있으며, 서양 예술로는 영화, 드라마, 음악 등이 있어 다양한 예술을 향유하고 있다. 이처럼 대만은 다양한 문화의 영향을 받아 독특하고 매력적인 문화를 가지고 있는 나라이다. 누구나 대만을 방문한다면 다양한 문화를 경험할 수 있을 것이다.

과거 포르투갈의 식민지이자 중국과 별도의 화교 문화권인 마카오 문화의 형성과 특징을 살펴보면 마카오는 중국 남부에 있는 특별행정구로, 중국 본토와 포르투갈의 문화가 공존하는 독특한 도시이다. 1557년 포르투갈이 마카오에 정착한 이후 442년 동안 포르투갈의 지배를 받았으며, 이 기간에 중국과 포르투갈의 문화가 융합되어 마카오만의 독특한 문화가 형성되었다. 그렇기에 마카오의 문화는 크게 중국 문화와 포르투갈 문화로 나눌 수 있다.

중국 문화는 마카오의 기본적인 문화를 형성하고 있다. 마카오의 주민 대부분은 중국인이며, 중국의 언어, 종교, 전통 등이 마카오 곳곳에 뿌리내리고 있다. 마카오에서는 유교, 도교, 불교 등이 널리 퍼져 있다. 유교는 마카오 사회의 기본적인 가치관을 형성하는 데 큰 영향을 미쳤으며, 도교와 불교는 마카오 주민의 종교적 믿음의 바탕을 이루고 있다. 또한 마카오에는 중국의 다양한 전통이 보존되어 있다. 전통적인 중국 의상, 음식, 예술, 축제 등이 마카오의 문화를 풍성하게 하고 있다. 한편 포르투갈 문화는 마카오의 역사와 함께 발전해 온 문화이다. 포르투갈의 언어, 건축, 음식, 음악 등이 마카오에 뚜렷한 영향을 미쳤다. 마카오에는 포르투갈 양식의 건축물이 많이 남아 있다. 성 바울 성당의 유적, 세나도 광장, 카스텔루 성 등은 마카오의 대표적인 포르투갈 양식 건축물이다.

이외에도 마카오의 음식은 중국과 포르투갈의 문화가 결합한 독특한 음식이다. 새우 크로켓, 윈난식 닭고기, 에그타르트 등이 마카오의 대표적인 음식이다. 그리고 마카오 전통 음악인 캉타는 마카오의 대표적인 문화유산으로 지정되어 있다. 마카오의 문화는 동서양의 문화가 조화롭게 어우러진 독특한 문화이다. 마카오를 방문하면 중국과 포르투갈의 문화가 어떻게 결합하여 있는지 생생하게 느낄 수 있으며 문화의 다양성과 융합성, 열린 태도를 직접 느낄 수 있을 것이다.

현재는 중국에 속하지만 독립 투쟁을 하는 티베트 문화의 형성과 특징을 살펴보면 티베트는 중국 서부에 있는 자치구로, 화인의 영향을 받기도 하지만 기본적으로 티베트족이 주류를 이루는 지역이다. 그들은 독특한 문화와 역사가 있다. 티베트 문화는 크게 불교, 음악, 예술, 의식주 등 네 가지로 나눌 수 있다. 티베트 문화의 중심에는 불교가 있다. 티베트 불교는 인도에서 전래한 불교가 티베트의 토착 종교인 샤머니즘과 결합하여 발전한 독특한 형태의 불교이다. 티베트 불교는 깨달음을 얻기 위해 수행과 명상을 강조하며, 라마라는 성직자가 그 중심에 있다. 라마는 티베트 불교의 최고 권위자로, 종교와 정치, 사회의 영역에서 중요한 역할을 한다.

티베트 음악은 불교 음악을 중심으로 발전하였다. 티베트 불교 음악은 종교적 의식에서 사용되는 경우가 많으며, 그 외에도 민속 음악, 가극 음악 등 다양한 장르가 있다. 티베트 음악은 주로 시타르, 마두르, 드럼 등 전통 악기를 사용하여 연주된다. 티베트 예술은 불교 미술을 중심으로 발전하였다. 티베트 불교 미술은 탱화, 만다라, 조각 등 다양한 형태로 표현된다. 탱화는 불교의 가르침을 그림으로 표현한 것으로, 티베트의 대표적인 예술 작품 중 하나이다. 만다라는 불교의 우주관을 상징하는 도상으로, 종교적 의식에서 사용된다.

티베트 의식주는 고산지대의 기후와 환경에 맞게 발달하였다. 티베트의 전통 의상은 털옷으로 만들어져 추위를 막아준다. 티베트의 음식은 고기, 곡물, 채소 등을 주로 사용하며, 소금이 많이 사용된다. 티베트의 전통 가옥은 돌로 지어져 있으며, 지붕은 초가로 덮여 있다. 이러한 티베트 문화는 고산지대의 독특한 환경과 역사

속에서 발전해 온 독특한 문화이다. 티베트 문화는 불교, 음악, 예술, 의식주 등 몹시 다양한 분야에서 그 특색을 나타내고 있으며 인류 문명사적으로 깊은 가치를 폭넓게 담고 있다.

한편 서방의 화교를 살펴보면 서방에서 화교가 거주하는 지역 중 주된 곳은 유럽과 미국이다. 특히 이 지역은 세계에서 가장 큰 화교 인구를 보유한 두 지역이기도 하다. 유럽의 화교 인구는 약 200만 명으로 추산되며, 미국의 화교 인구는 약 450만 명으로 추산된다. 유럽의 화교는 주로 19세기와 20세기 초에 중국에서 이주해 온 사람들이다. 그들은 주로 사업, 식당, 의류 산업에 종사하고 있다. 유럽의 화교는 중국 본토와의 긴밀한 관계를 유지하고 있으며, 중국의 경제 성장에 크게 기여하고 있다.

미국의 화교는 주로 19세기와 20세기 중반에 중국에서 이주해 온 사람들이다. 그들은 주로 사업, 과학, 기술, 예술 분야에서 두각을 나타내고 있다. 미국의 화교는 미국 사회에서 중요한 역할을 하고 있으며, 미국의 경제와 문화 발전에 크게 기여하고 있다.

유럽의 화교는 중국 본토와의 긴밀한 관계를 유지하고 있다. 그들은 중국의 경제 성장에 크게 기여하고 있으며, 중국 기업의 유럽 진출을 돕고 있다. 또한, 유럽의 화교는 중국의 문화와 전통을 유럽에 알리는 데에도 중요한 역할을 하고 있다. 그리고 미국의 화교는 중국 본토와의 관계를 유지하면서도 미국 사회에 적극적으로 동화되고 있다. 그들은 미국의 교육과 문화를 받아들이고, 미국 사회의 일원으로서 책임을 다하고 있다.

　유럽과 미국의 화교는 앞으로도 계속해서 성장할 것으로 예상된다. 중국의 경제 성장과 세계화로 인해 유럽과 미국으로의 화교 이민이 증가할 것으로 예상되기 때문이다. 또한, 유럽과 미국의 화교는 중국 본토와의 관계를 유지하면서도 미국 사회에 적극적으로 동화될 것으로 예상된다. 유럽과 미국의 화교는 중국과 서양의 문화를 연결하는 중요한 역할을 할 것으로 기대된다. 그들은 중국의 경제와 문화를 유럽과 미국에 알리는 데에 기여하며, 유럽과 미국의 문화를 중국에 전파하는 데에도 이바지한다.

　한편 동남아시아는 오래전부터 화교가 많이 진출한

지역으로 그 지역에서 화교가 거주하는 지역 중 주된 곳은 싱가포르, 말레이시아, 태국이다. 모두 화교 인구가 많은 국가이다. 싱가포르의 화교 인구는 약 75%로, 말레이시아의 화교 인구는 약 25%, 태국의 화교 인구는 약 14%로 추산된다.

싱가포르의 화교는 주로 19세기와 20세기에 중국에서 이주해 온 사람들이다. 그들은 주로 사업, 금융, 무역, 제조업 분야에서 두각을 나타내고 있다. 싱가포르의 화교는 싱가포르 경제의 발전에 크게 기여하고 있으며, 싱가포르 사회에서 중요한 역할을 한다. 특히 싱가포르의 화교는 중국 본토와의 관계를 유지하면서도 싱가포르 사회에 적극적으로 동화되고 있다. 그들은 영어와 중국어를 모두 사용하고, 싱가포르의 문화와 전통을 존중하고 있다.

말레이시아의 화교는 주로 19세기와 20세기에 중국에서 이주해 온 사람들이다. 그들은 주로 사업, 농업, 어업, 제조업 분야에서 두각을 나타내고 있다. 말레이시아의 화교는 말레이시아 경제의 발전에 크게 기여하고 있으며, 말레이시아 사회에서 몹시 중요한 역할을 하고 있다. 말레이시아의 화교는 중국 본토와의 관계를 유지하면서도 말레이시아 사회에 적극적으로 동화되고 있다. 그들은 말레이어와 중국어를 모두 사용하고, 말레이시아의 문화와 전통을 존중하고 있다.

태국의 화교는 주로 19세기와 20세기에 중국에서 이주해 온 사람들이다. 그들은 주로 사업, 무역, 제조업, 금융 분야에서 두각을 나타내고 있다. 태국의 화교는 태국 경제의 발전에 크게 기여하고 있으며, 태국 사회에서 중요한 역할을 하고 있다. 이러한 태국의 화교는 중국 본토와의 관계를 유지하면서도 태국 사회에 적극적으로 동화되고 있다. 그들은 태국어와 중국어를 모두 사용하고, 태국의 문화와 전통을 존중하고 있다.

동남아시아의 화교는 앞으로도 계속해서 늘어나고 성장할 것으로 예상된다. 중국의 경제 성장과 세계화로 인해 이들 국가로의 화상(華商)을 중심으로 한 화교 이민이 증가할 것으로 예상되기 때문이다. 또한, 이들 국가의 화교는 중국 본토와의 관계를 유지하면서도 이들 국가 사회에 적극적으로 동화될 것으로 예상된다. 특히 싱가포르, 말레이시아, 태국의 화교는 중국과 동남아시아의 문화를 연결하는 중요한 역할을 할 것으로 기대된다. 그들은 중국의 경제와 문화를 동남아시아에 알리는 데에 이바지할 것이며, 동남아시아의 문화를 중국에 전파하는 데에도 이바지할 것이다.

한편 동남아시아 화교는 다음과 같은 특징을 가지고 있다. 첫 번째로는 사업에 대한 열정이다. 화교는 일반적으로 사업에 대한 열정이 강하다. 그들은 자신의 사업을 성공시키기 위해 노력하고, 다른 사람들을 도와 성공하도록 돕는 데에도 열정적이다. 두 번째는 가족에 대한 중요성이다. 화교는 가족에 대한 중요성을 강조한다. 그들은 가족의 화목과 번영을 위해 노력하며, 가족의 전통을 지키기 위해 노력한다. 세 번째는 교육에 대한 중요성이다. 화교는 교육에 대한 중요성을 강조한다. 그들은 자녀의 교육에 투자하고, 자녀가 성공적인 삶을 살 수 있도록 돕는다. 이러한 특징은 싱가포르, 말레이시아, 태국을 비롯한 동남아시아의 화교가 이들 국가 사회에서 성공을 거두는 데에 몹시 중요한 역할을 했다고 볼 수 있으며 이를 살펴보면 좋은 참고가 된다.

제 8 장

원더풀한 서울을 추구하다

1. 한국의 다문화 전망

　한국 사회는 저출산과 이민 증가로 다문화 사회로 진입할 것이 분명하다. 이러한 다문화 관련 사회 현상은 그 국적에 따라 한국인 중에서 외국 국적을 지닌 자와 외국인 중에서 한국 국적을 지닌 자로 분리하여 접근할 필요가 있다. 전자는 한민족으로 보고 후자는 한국 정체성을 가진 새로운 민족이자 국민으로 봐야 한다.

　전자의 경우 원래 한민족이라는 정체성이 있으므로 그러한 것을 강화시켜주면 된다. 고려인, 조선족, 일본 조선적, 미국 교포, 영국 교포 등을 다양한 형태로 지원해 주며 특히 중국의 연변 조선족자치주 내에서 조선족의 위상을 향상하는 데 도움이 필요하다. 해당 자치주 조선족이 거의 없는 돈화시를 일부러 중국 정부가 포함하여 물을 타고자 하는 의도가 있으므로 돈화시에 한류

확산을 통하여 한족이지만 한국에 호의적인 반응을 이끌고 조선족을 지원하도록 할 필요성이 있다.

후자를 살펴보면 대게 다문화 가정이다. 이들은 우선 한국 문화에 동화되도록 하면서 개별 국가의 정체성을 말고 하나의 다문화족이라는 정체성을 가져서 일종의 가상적 집단으로 그 정체성을 재구성해야 한다. 또한 다문화의 언어를 분석하여 하나의 방언 형태로 구성하도록 해서 내부적 동질감을 주어야 한다.

또한 주로 다문화는 동남아시아 출신이 많으므로 한국 아이돌 멤버 중 동남아시아 멤버가 태국, 베트남에 편중되어 있으므로 이를 미얀마, 싱가포르, 말레이시아, 인도네시아, 캄보디아, 라오스 등으로 확대하고 기왕이면 미국, 영국의 복수국적을 가진 멤버로 구성하는 방안을 구체화하여 신중히 고민해야 한다.

이를 통해서 한국은 유럽과 달리 다문화 문제나 사회적 갈등 혹은 폭력 사태를 미연에 방지하고 안정적인 정착과 한국의 단일화된 문화적 인식을 통해서 한국인의 정체성을 강화하고 불필요한 문화적 잔재를 털어낼 수 있도록 다방면의 지원과 사회적 도움이 필요하다.

2. 자유로운 국제 관계 추구

코로나 팬데믹 이후 소수의 세력이 국제 질서를 흔드는 것에 대해 대중의 불만이 상당하다. 이를 해소하기 위해서 자유로운 국제 관계를 형성하고 누구에게나 개방된 국제 질서를 유지해야 한다. 특히 소수에 의해 결정되는 삼극위원회 대항마로 남아메리카, 아프리카, 오세아니아가 참여하고 구성하는 포럼을 만들어야 한다.

이외에 내륙국과 해양국의 차별을 해소하기 위해서 현재의 국제 협약을 강화하여 내륙국의 자유로운 해안 통행권을 보장하고 운하도 늘려야 한다. 대표적으로 크라운하, 니카라과운하, 남미운하를 다시 개시해야 하고 세계의 대양을 연결해야 한다. 그러한 것 중 하나로 카스피해, 아랄해, 발하슈호, 우브스호, 홉스굴호, 바이칼호를 연결하는 운하를 건설하는 것이다. 한편 철도와

도로 운송에서도 미국과 러시아 사이의 베링해협, 아일랜드와 영국, 핀란드와 에스토니아를 연결하는 해저터널을 개설하고 다리안 갭에 고속도로를 개통해야 한다.

   또한 현재 신냉전의 격화를 방지하기 위해 제3세력으로 인도를 키워주고 중립국을 늘리기 위해 오스트리아가 스위스처럼 중립국으로 설 수 있도록 국제적 공조가 필요하며 국제적 표준 기준의 훼손을 막기 위해 국제 시간대는 UTC+12와 UTC-12 사이로 고정하여 UTC+12 이후에 있는 시간대는 UTC-12로 올바르게 변경하도록 국제 사회가 나서서 추진해야 한다.

   마지막으로 한반도 평화를 보존하여 국제 화약고가 되지 않도록 남북 간의 교류를 늘려야 한다. 다방면의 교류가 필요하기에 남북 대법원장 회담, 남북 야구 친선 경기 개최, 독일과 북한 수교 추진, 국내 극좌 성향 기독교를 지원하여 남북 기독교 교류, 남북 동학 교류를 창의적인 방식으로 다양하게 시도해야 한다.

   그리고 유사시를 대비해서 군사적으로는 해양경찰의 개편을 포함하여 해상경비대, 육상경비대, 항공경비대를 모두 창설하여 국토경비대를 만들고 상위에 국토안보부를 신설해야 하며 중립국감독위원회를 확대하여 체코를 복귀시키고 쿠바, 오만, 오스트리아가 신규로 참여하게 해야 한다. 또한 미국 우주군과 해안경비대를 한반도에 주둔하게 하고 유사시에 자동으로 즉각 참전하게 해야 하며 유엔군사령부에 인도, 몽골, 독일, 브라질, 아르헨티나가 적극적으로 참여하게 해야 한다.

한반도의 안보를 위한 외교적 차원에서는 한국, 일본, 대만의 느슨한 동맹을 추진하고 중국과 러시아가 한반도 문제에 있어 중립을 지키도록 유도해야 한다. 특히 대만은 외교적 고립의 해소를 한국이 제공하면서 그 대신 한반도의 유일한 정부로 한국을 인정하고 조선민주주의인민공화국을 북한으로 호칭하도록 해야 한다. 이러한 한반도의 긴장 완화와 화약고 불씨 제거는 결과적으로 자유로운 국제 관계에 이바지하며 소수의 강대국이 세계 질서를 주무르지 못하게 할 것이다.

3. 확장 서울의 탄생

　일반적으로 우리가 서울이라고 하면 서울특별시를 떠올린다. 하지만 대개 런던이라고 하면 시티 오브 런던과 그레이터 런던을 모두 포함하여 생각한다. 이는 서울의 영역을 협소하게 생각하는 것이며 식민 지배의 잔재이다. 서울을 단순히 서울특별시의 행정 경계 안으로 생각하는 것은 몹시 편협한 사고이며 지구촌 1일 생활권 시대를 사는 것에 큰 독약이 된다. 고로 서울의 범위는 문화적 영역으로 결정해야 하며 근교의 도시는 모두 서울이라고 할 수 있다. 특히 문화적 확장으로 인한 분당, 죽전, 기흥은 서울 내부보다 더 서울이며 서울의 가장 부촌인 강남은 오히려 이들 지역이 더 가깝다.

　그러므로 서울의 문화적 확장으로 용인, 부천, 광명, 안양, 성남, 수원 등은 서울 생활권, 문화권을 넘어 사실상 서울 그 자체이다. 아울러 천안, 아산, 당진, 세종, 대전, 청주, 충주도 서울이랑 생각보다 가까우며 광역 서울권 안에 속해있다. 이를 잘 드러내는 말이 수도권을 뛰어넘은 수청권이다. 그러므로 우선은 수청권의 안정화를 위해 당진시까지 수도권 전철 서해선의 연장도 고려해야 하며 3기 지하철 계획을 부활하여 대체 노선에 숫자 명칭을 붙여야 한다. 또한 이러한 수청권의 역할을 잘 수행하고 신수도권의 선봉에 있는 것이 천안에 있는 단국대학교병원이다. 단대 병원은 오히려 서울, 경기 환자가 더 많은 중부권의 대표 병원이며 서울에서도 환자들이 줄을 서서 내려가는 병원이다. 이는 서울 소재 종합병원보다 우수하고 실력이 상당하기 때문이다.

이처럼 서울의 문화적 확장은 새로운 패러다임의 변화를 불러온다. 인서울 대학의 경계가 허물어져서 인천, 경기도 소재 대학도 인서울에 포함되고 오히려 입결이 높은 경우가 흔하다. 그렇기에 우리는 서울의 문화적 확장을 바라보고 선진국의 사례에서 확장 서울을 개념을 인식하여 서울을 편협하게 보고 인식하는 황국 신민적 오류를 범하지 말아야 한다.

4. 한국과 4차 산업혁명

4차 산업혁명은 모든 패러다임을 완전히 뒤집는다. 이러한 시대에 제대로 대비하지 못하면 한국은 후진국으로 추락할 수 있다. 한국의 반도체가 세계 1위이고 성균관대학교를 비롯한 관련 대학의 반도체 연구도 세계 1위로 우수하지만, 그것으로 평생 먹고 살 수는 없다. 특히 4차 산업혁명은 기본적으로 혁명적 변화를 불러오므로 유교와 같은 구습적 사고방식을 버리지 않으면 망하는 길로 가는 것이다. 그리고 이러한 것을 위해서는 먼저 과거의 것도 약간은 살펴볼 필요가 있다. 과거 그룹 중에서 극동그룹과 대우그룹은 도전 정신이 상당했으며 현재도 외국에서 브랜드 인지도가 상당하므로 이를 창조적으로 활용할 방법을 모색해야 한다. 또한 대우자동차는 그 기술력과 인지도가 타의 추종을 불허

하므로 한국GM 측에 요청해서 대우자동차의 계승을 함께하도록 하고 이 과정에서 KG모빌리티와 르노코리아도 참여할 방안을 모색해야 한다.

그리고 한국은 우주과학에 투자해야 한다. 독자적인 유인 우주선 개발과 우주비행사 양성에 예산을 쏟아부어야 하며 국민적 관심도 끌어올려야 한다. 이는 우주를 선점하지 않으면 앞으로의 미래가 어려워지기 때문이다. 이외에도 노동자의 권리를 강화하여 소비가 줄지 않도록 해야 한다. 헌법에 복지권을 강화하고 복지포인트와 고정연장근로수당을 통상임금에 포함하여 이를 확대해야 한다. 또한 법률에서 근로를 전부 노동으로 바꾸고 노동자 식대와 교통비 그리고 출장 여비를 회사가 지원하도록 법으로 강제해야 하며 5인 미만 사업장도 근로기준법을 같이 적용하여야 한다.

그리고 현재 새만금 간척지의 활용 방안이 논의 중인데 이곳을 4차 산업혁명 실험장으로 개편하여 국제자유기업도시로 선포하고 군산시와 김제시를 통합하여 특별자치시로 승격해서 전북도에서 떼어내야 한다. 이곳에 공기업과 공공기관도 이전하고 연구소와 대학을 설립하

고 무과세로 하여 다양한 4차 산업혁명 실험을 실리콘
밸리처럼 하도록 지원해야 한다. 이를 위해서 새만금에
지방법원과 고등법원 설치 및 관련 인프라와 지하철을
비롯한 교통 시설을 완비해야 한다. 한국은 자원이 없
는 국가이기에 사람이 곧 자원인 나라이다. 그러므로 4
차 산업혁명은 무슨 수를 쓰던 대비하고 앞장서야 우리
가 과거의 암흑 같은 고통 속으로 다시 들어가지 않으
며 밝은 미래를 만나볼 수 있다는 것을 명심해야 한다.

5. 아시아지역학의 학문적 살펴보기

　아시아지역학은 아시아의 고유 가치에 관해 탐구하는 학문이다. 그 학문의 배경은 경영학에 입각하여 있으며 사실상 경영학으로 보는 것이 상식적이다. 또한 그 구성에 있어 경영학 이외에도 법학, 사회학 문화학, 언어학, 모국어문학, 대중문화학, 예술경영학 등이 참여했으며 국내에서도 외국으로서 한국어학을 바라보는 것과 같이 아시아지역학이 새로운 시각을 주는 것에 기여한 사례가 몹시 많다.

　국제적으로는 아시아지역학 전공자에 대해서 대중문화 부문의 전문가로 보기도 하며 아시아의 전통 의학을 깊게 다루므로 사실상 전통 의사와 다름이 없기에 의학사에 준하는 준의사이자 약학사에 준하는 준약사로 보기도 한다. 이외에도 경영학부에서 국제지역학을 다루므로 국제지역학을 아시아지역학에서도 일부 살펴보기에 비아시아지역에 대한 고찰도 능숙하게 할 수 있다.

한편으로는 유교에 대해 종교적 관점과 비유교 전통문화가 유교로 오인한 것을 분리해 낸 성과가 있다. 이는 아시아지역학의 국내 최고의 성과로 특히 공부자탄강일에 단순히 쉬고 하나의 뛰어난 철학자로 흠모하는 것은 유교적 행위가 아니라고 본 것이다. 그리고 종교가 아닌 동양학의 일환으로 유교를 가르치는 것은 유교가 아닌 별도의 학문이며 고유례는 유교와 별개인 문화적 전통 행사이다. 그러므로 인성고전이나 재해석된 논어를 가르치는 것도 유교를 비판적으로 해석하는 것이다. 따라서 동아시아에서는 유교 미션스쿨은 하나도 존재하지 않는 것도 확실하게 밝혀냈다.

그리고 제12대 대통령 선거가 이전의 통일주체국민회의에서 선출한 것보다 형식적으로는 민주적인 것과 독재자의 자녀가 집권했다고 해서 무조건 독재자로 볼 수 없으며 설사 헌법적 절차에 의해 탄핵당했다고 해서도 그것은 헌법에 따른 장치가 작동된 것이므로 독재자가 아니며 부모의 독재에 대한 멍에를 짊어지게 해서는 안

된다는 것도 분명하게 밝혀냈다.

　그리고 6.25 전쟁 당시 에티오피아군이 용인시 및 천안시와 깊은 인연이 있는 것과 용인시가 역사적으로 몽골이랑 인연이 깊고 관련 활동이 이루어지는 것에 대해서 조명했으며 부촌인 서울 용산구 한남동과 같은 부촌인 용인 수지구 죽전동이 하나의 쌍둥이 도시이자 매우 유사한 도시구조를 가진다는 것을 밝혔다. 이러한 도시구조 측면에서는 천안시와 용인시가 거의 하나의 도시권을 이루는 것도 그러하다.

　마지막으로 한국 사회의 고질병인 학벌주의 해소를 위해서 서울대학교의 라이벌을 육성하고 전국의 교육대학을 지방거점국립대에 통합시킬 것을 제안했고 현재도 해병대에 우수한 지원과 관심을 받는 단국대 해병대군사학과가 사실상 해병사관학교로 기능하고 있으며 그렇게 되도록 집중적인 육성을 해야 함을 밝혔다. 그러므로 이러한 학문적 성과와 예시는 아시아지역학의 가능성과 미래를 나타내는 것이기도 하다.

6. 대학에서의 글로벌 교육

   글로벌 교육의 중요성은 강조할 필요가 없으며 그것이 대학 교육에서 이루어진다면 제일 먼저 꼽을 수 있는 것은 외국어이다. 그리고 그것은 몹시 중요하다. 대개 단과대학으로 외국어대학이 설치된 대학에서 글로벌 한국어과는 사실상 언어학과 역할을 하며 그리스어, 불가리아어, 네덜란드어, 루마니아어, 세르비아어, 알바니아어, 크로아티아어, 핀란드어, 노르웨이어, 덴마크어, 스웨덴어, 우크라이나어, 카자흐어, 우즈베크어, 페르시아어, 폴란드어, 헝가리어, 미얀마어, 크메르어, 라오어, 태국어, 마인어, 힌디어, 산스크리트어, 라틴어, 헬라어, 에스페란토어, 체코어, 슬로바키아어, 카탈루냐어, 몰타어, 룩셈부르크어, 에티오피아어, 스와힐리어, 암하라어, 하우사어, 줄루어 등을 가르치는 것이 일반적이며 남아시아와 아프리카 지역학과 국제개발협력 그리고 국제학 전반에 대해서도 깊이 있게 교육한다.

또한 용인시가 몽골과 관련이 깊은 것처럼 해당 지역과 관련이 깊으면 그 지역 대학에서 깊게 가르치고 연구하며 중국어나 일본어는 대학원이 있는 곳을 보통 그 학과의 소재지로 본다. 또한 경영학부에서 '글로벌한류트렌드', '위대한지도자와그들의선택', '문화예술과감각활용', '바이오헬스인문학', '4차산업혁명과서비스경영1', '4차산업혁명과서비스경영2'는 대게 전공선택 과목으로 보며 해당 수업은 경영학부의 소재 건물에서 오프라인으로 이루어지는 것이 일반적이다. 또한 '정치학', '국제지역학', '중국문명사와전통문화'는 용인 죽전 지역에서 특히 큰 관심을 가지는 과목이며 관련 교육이 깊이 있게 이루어지고 있다.

이외에 단과대학 명칭에서 자연과학대학은 과학기술대학으로 사용하기도 하며 인문대학은 문과대학으로 사용하기도 한다. 또한 영미인문학과는 사실상 사회학과로 현재의 사회학이 영국과 미국에서 주도하기에 그러하므로 사회학을 전공하는 것과 같다.

또한 대학 간의 국제적인 관점에서 라이벌 관계를 살펴보면 하버드 대학교와 예일 대학교가 라이벌인 것은 너무나 유명한 사실이다. 이외에 미국 대학은 스탠퍼드 대학교와 캘리포니아 대학교 버클리(UC 버클리)가 경쟁 관계인 것도 상식적이다. 추가적으로 살펴보자면 스탠퍼드 대학교와 캘리포니아 공과대학교(칼텍)와 경쟁 관계이자 상호 깊은 협력 관계를 맺고 있으며 위에서 언급한 UC 버클리와 예일 대학교도 경쟁 관계가 있다. 일본의 경우 도쿄대학과 교토대학이 라이벌 관계이며 대만의 경우 국립타이완대학과 국립성공대학이 라이벌 관계이고 중국의 경우 베이징대학과 칭화대학이 라이벌 관계로 형성되어 있다.

국내의 경우 과거 일제강점기에는 경성제국대학과 조선 성균관의 후신인 성균관재야대학3)이 경쟁 관계였으며 특수외국어부문에서는 한국외국어대학교와 단국대학교가 경쟁하고 있다. 이외에 종합적으로는 서울대학교

---

3) 일본에 의해 폐교된 성균관을 계승하여 성균관의 교육을 담당했던 교육자와 재야의 근대적 민족 교육을 추구하는 자가 연합하여 민립 대학 설립 운동이 무산된 뒤 해방 이후 민족 대학 설립을 추구하는 세력으로 단일화하여 다양한 형태의 재야 교육을 했으며 외국에 유학하여 학위를 취득하거나 국내에서 학사 학위에 준하는 교육을 하는 등 다양한 형태로 이루어졌으며 남양 연구에 대해 상당한 수준이 있었다고 보이며 경성제국대학과 대립각을 세웠다.

와 성균관대학교 그리고 자연과학에서 한국과학기술원과 포항공과대학교(포스텍), 예술에서 한국예술종합학교와 추계예술대학교, 여자 대학에서 이화여자대학교와 숙명여자대학교의 경쟁 관계는 이미 대중에게 유명한 사실이다. 그러므로 이러한 것을 잘 살펴보면서 참조하고 이를 바탕으로 글로벌 교육에 대해서 깊이 있게 신경 써야 한다.

7. 유일한 민족 철학이자 종교인 동학

일반적으로 동학에 대해서 살펴보면 인간이 탄생하고 부족이 생기고 그것이 국가로 나아가면서 어느 국가이든 해당 국가를 하나로 이끄는 정신문화가 탄생했다. 이러한 정신문화가 체계화되어 하나의 철학 사조로 이어지는 데 우리 한국에도 그러한 것이 존재한다. 그것은 바로 동학이다. 우리는 동학이 최제우 선생에 의해 탄생했다고 알지만, 이는 절반만 사실이다. 동학은 고조선부터 이어져 오는 한국의 고유 철학 사조를 집대성한 것이고 그 이후 한국의 고유 철학이나 종교도 모두 동학에서 나온 것이다. 일례로 무교(巫敎), 선교(仙敎), 원불교, 증산교, 대종교 모두 동학에서 그 뿌리를 두고 있다. 이는 동학에서의 동이 단순한 서학의 반대가 아니라 동국(東國)이라는 의미이다. 이러한 동국은 단국

(檀國)이라고 부를 수도 있는데 그 자체가 한국이라는 뜻으로 한국 고유철학이라는 말을 축약한 것이나 다름 없다. 고로 유불선 합일이라고 주장하면서 동학이 유교, 불교, 도교를 섞었다는 것은 일제가 만든 전혀 비학문적인 허구의 주장이다.

또한 유교는 북학, 불교는 남학, 기독교는 서학이라고 하면서 동학은 동학이라고 하지만 이것은 방위적 의미도 있지만 한국을 의미하는 동국의 학문이라는 뜻에서 사실상 한국 고유의 학문이라는 뜻이다. 또한 유교와는 정반대에 있으며 유교는 과거지향적이지만 동학은 미래지향적이며 오히려 소크라데스 철학에 가깝다고 할 수 있다. 특히 무지를 인정하여야 학습할 수 있다는 점에서 진보성도 띈다. 또한 동학은 인도에서 온 남학인 불교, 중국에서 온 북학인 유교, 서구에서 온 서학인 기독교를 모두 배격하여 한국의 독자적인 철학이자 종교의 총체이다. 종교로써는 유교, 불교, 기독교를 제외한 한국의 고유 종교 모두가 동학에 포함된다, 원불교, 천도교, 대종교, 갱정유도, 수운교, 증산도, 대순진리회, 태극도, 증산법종교, 무교, 선교유지재단, 경천신명회, 수운교, 순천도, 청우일신회, 태극도, 민족종교 선교, 남학(이운규), 성덕도, 진혜원 등이 포함된다고 보므로 사실상 한국의 모든 민족종교이다. 그리고 종교적 측면에서 동학을 보면 개혁적이고 혁신적이므로 외계에 대해 중시하는 라엘리언 무브먼트, 사이언톨로지, 칭하이 무상사와도 교리적 연합 또는 교류가 가능한 측면에서 상당한 개방성을 띤다고도 할 수 있다.

철학적 관점에서 동학은 유교 및 불교와 다른 특징을 강하게 띤다. 특히 가장 기본인 인내천 사상에서 그러한데 '사람이 곧 하늘'이라는 것은 인간의 의지가 무한하지만, 시대적 한계로 인해 그것이 상대적으로는 불가능에 부딪힐 수 있다는 것과 만민 평등을 모두 담고 있다. 이는 인간의 인식 능력의 확장성을 추구하고 관습이나 윤회, 인격신을 모두 거부하면서 스스로 성장하고 현실 세계에서의 상호 연대와 교류 그리고 인간 존중을 위해 행해야 한다는 것을 추구하며 과학적 연구와 사실에 대해서도 적극적인 긍정을 표시한다.

결론적으로 동학은 유교, 불교, 기독교와 다른 한국의 독자적인 철학이자 종교이며 한국에서 지금까지 발생한

비유교, 비불교, 비기독교 철학과 종교가 집대성된 것이며 그것 모두가 동학이라고 할 수 있는 것이다. 그러므로 동양 철학이나 종교에서 불교나 유교는 인도, 중국에서 건너온 외래 사상이고 결과적으로 그것이 우리나라에서 응용되어 새로운 발전을 이룬 것은 사실이지만 고유의 사상은 아니므로 민족의 정신적 총체가 될 수 없다. 고로 동학만이 우리 민족의 유일한 정신적 총체이자 철학이다. 동학은 고조선부터 그 역사와 뿌리를 두고 있으며 고조선의 단군 설화도 동학의 사상을 그대로 담고 있다고 할 수 있고 모든 한국의 고유 사상과 철학은 동학이라고 다시 강조할 수 있다.

한편 철학에서의 동학을 다시 깊게 살펴보면 인간은 동물과 다른 이성을 가진 존재이다. 생물이 진화하여 인간이 탄생하고 이성이 생겨나면서 동물과 다른 구분점을 가지게 되었다. 동물은 본능에 따라 제한된 범위 내에서 기계적으로 움직인다면 인간은 창조적이고 자주적으로 움직이며 시대적 제약 조건이 있지만 그 인식은 무한하게 할 수 있는 특징이 분명히 있다. 다만 이러한 인간의 이성이 발전함과 동시에 가족이 확대되어 국가라는 개념이 세상에 등장하자 인간은 그 국가를 이끄는 하나의 이데올로기를 만들 수밖에 없다. 이는 위정자의 통치 효율성 측면도 있지만 공동체의 기본적인 결속을 위한다는 점에서 무조건 지배계급의 학술적 폭력이라고 단정할 수는 없다.

한편 인간이 신이라는 존재를 만든 것에 대해서 동학은 인간은 불완전하고 완벽하지 못한 존재인데 자신이 노력해서 바꿀 수 없는 부분이고 누구나 맞이하는 죽음과 같은 것에서 탈피하고 완벽해지고자 하는 욕망이 투사된 존재로 그것이 인격적으로 실존하는 것은 비과학적이고 비논리적이므로 부정하지만 그러한 한울님으로 대표되는 그 절대적 존재가 내면에 있다는 것은 좀 더 이성적이고 완벽하고 윤리적인 인간 존재로 나아가고자 하는 개인의 노력과 욕망을 총체한 것이다. 그리고 그것이 시천주 사상이다.

그러나 단순히 이것만 존재한다면 이기적인 욕망과 개인의 성취에만 국한된다. 그리고 그것은 사회적 존재인 인간이 사는 공동체 내부에서 만인에 대한 만인의 투쟁을 불러일으킨다. 그래서 동학은 인내천 사상을 통해 자신의 존재가 고귀하듯 타인도 고귀하며 누구나 평등하고 존중해야한다는 인간 존중 사상과 생명 사상을 드러낸다. 또한 이러한 것에서 파생되어 인간 역시 자연에서 나온 일부이고 자연과 구분되지만 분리될 수 없는 존재이므로 자연 그 자체에 대한 인식과 존중을 요하는 점에서 일부 유물론적 특징을 강하게 가진다.

결국 동학은 개인과 자연을 하나의 세계로 보며 분리할 수 없다고 본다. 그 속에서 각자의 존재의 개성과 특성을 존중하고 상호 간의 행복과 평안을 누리고 공동체의 평화를 추구하면서도 인간의 창조성과 인식의 무한함을 긍정한다. 이를 통해서 미지의 세계에 대한 용기있고 과학적인 도전 정신도 부여하는 것이다. 다만 역사상 과학 발전의 속도가 늦어 이러한 철학적 관점을 대중에게 쉽게 설명하기 위해 신비스럽거나 비과학적인 비유를 설명한 부분은 있다. 하지만 본질에서 논리적이고 과학적이면서도 인간에 집중하나 그것의 자연적 실체도 인정하는 모습에서 현대 과학과 거의 입장을 같이한다고 볼 수 있다.

그러므로 인간과 자연의 과학적 본질을 보면서도 초

현실적인 개념을 인간이 왜 느끼고 가지고 있는지도 알면서 진리에 대해서 탐구하는 본연의 자세로 나가가는 점이 특징적이다. 그 속에서 정이나 한 같은 한국 고유의 문화적 가치고 만들어내고 유교의 중국, 불교의 인도와 다른 동학의 한국적 모습과 철학도 보여준다. 그렇기에 절대 동학과 유교를 같은 것으로 보아서는 아니 되며 둘은 전혀 다른 것이다. 이를 같다고 하면 자신의 무지를 만천하에 폭로하고 드러내는 것과 같다.

한편 이러한 동학 철학은 한국 전통 철학의 총체이자 집대성이고 이후 모든 한국 철학도 여기에서 갈라져 나왔다는 점에서 민족적 정신 뿌리이기도 하지만 그 합리성과 과학성의 측면에서는 인류 공동의 학술적 자산이기도 하다. 고로 동학 철학을 협소하게 바라볼 것이 아니라 한국 철학의 모든 것으로 봐야 하며 이것을 더욱 한국적이고 독창적이면서도 창조적인 인류의 보배가 되도록 발전시키면서 인간 상호 간의 좋은 정신적 연대의 도구로도 활용할 필요성이 제기된다.

제7공화국 헌법 제안

I. 전문

우리는 3·1운동으로 건립된 대한민국임시정부의 법통과 불의에 항거한 4·19혁명, 부마민주항쟁과 5·18민주화운동, 6·10민주항쟁의 민주이념을 계승하고, 법치주의와 공화주의에 기반한 자유롭고 평등한 민주사회의 실현을 기본 사명으로 삼아, 정의에 기초한 평화롭고 안전한 국가를 지향하며, 모든 사람의 존엄과 자유를 최우선으로 보호하며, 인류애와 생명 존중으로 행복한 공존을 추구하고, 세계 평화에 이바지할 것을 다짐하고, 자율과 조화를 바탕으로 사회정의와 자치·분권을 실현하고, 인간 존중을 사회생활 전반에서 실천하고, 지구생태계와 자연환경의 보호에 힘쓰며, 모든 분야에서 지속가능한 발전을 추구하고, 노동의 존엄성을 인식하며, 기회균등의 원리로 복지국가로 나아가고, 미래세 대에 대한 우리의 책임을 인식하며, 상호 연대하고 더불어사는 세상을 위해 앞으로 나갈 것을 다짐하면서 1948년 7월 12일에 제정되고 10차에 걸쳐 개정된 헌법을 이제 국회의 의결을 거쳐 국민투표에 의하여 개정한다.

II. 본문

제1장 총강

제1조 ① 인간의 존엄성은 소멸되거나 훼손될 수 없으며, 이를 존중하고 보호하며 인권국가를 지향하는 대한민국은 민주공화국이다.

② 대한민국은 인간의 보편적 인권을 인정하고 평화와 정의의 기초가 되는 인권을 확신하며, 인권이 모든 권력 위에 있음을 확인한다.

③ 대한민국의 모든 권력은 인권을 수호해야 하는 것을 기본적 책무로 삼는다.

④ 대한민국의 주권은 국민에게 있고, 모든 권력은 국민으

로부터 나오며, 국민을 위하여 행사된다.

⑤ 대한민국은 지방분권국가이다.

⑥ 대한민국은 미래 세대에 대해 책임 있는 태도를 가져야 한다.

⑦ 대한민국은 대한제국의 불법적인 해산에 대해 인정하지 아니하며 대한제국의 국체를 정의롭게 계승하고 임시정부 수립을 통한 대한민국 건국에 따라 대한제국이 해산하고 대한민국으로 승계되었다고 본다.

제2조 ① 대한민국 국민의 자녀는 출생 시에 대한민국 국적을 취득하며, 그 밖에 대한민국 국민이 되는 요건과 절차에 관하여 필요한 사항은 법률로 정한다.

② 국가는 자의적으로 국민의 국적을 박탈하거나 국외로 추방할 수 없다.

③ 국가는 법률로 정하는 바에 따라 재외국민을 보호할 의무를 지며, 구체적인 사항은 법률로 정한다.

④ 한민족을 부 또는 모로 하여 출생한 사람과 그들의 후손은 헌법과 법률로 정하는 바에 따라 대한민국 국적을 취득할 수 있다.

제3조 ① 대한민국의 영역는 한반도와 그 부속도서(附屬

島嶼)를 포함하는 영토, 영해, 영공으로 한다.

② 대한민국의 수도(首都)에 관한 사항은 법률로 정한다.

③ 대한민국의 국기는 태극기이다.

④ 대한민국의 국가는 애국가이다.

⑤ 대한민국의 국어는 한국어이다.

제4조 대한민국은 통일을 지향하며, 민주적 기본질서에 입각한 평화적 통일 정책을 수립하고 이를 추진한다.

제5조 ① 대한민국은 국제평화를 유지하기 위하여 노력하고 침략적 전쟁을 인정하지 않는다.

② 국군은 국가의 안전보장과 국토방위의 의무를 수행하는 것을 사명으로 하며, 국제평화 유지를 위해 공헌하며 정치적 중립성을 준수한다.

③ 군인은 대한민국 국민으로서 일반 국민과 동등하게 헌법상 보장된 권리를 가진다.

④ 군인은 재직 중은 물론 퇴직 후에도 군인의 직무상 공정성과 청렴성을 훼손해서는 안 된다.

⑤ 군인은 부당하거나 비인도적인 명령을 거부할 의무가 있다.

제6조 ① 헌법에 따라 체결·공포된 조약과 일반적으로 승인된 국제법규는 국내법과 같은 효력을 가진다.

② 외국인의 지위는 국제법과 조약으로 정하는 바에 따라 보장된다.

제7조 ① 공무원은 국민 전체에게 봉사하며, 국민에 대하여 책임을 진다.

② 공무원의 신분은 법률로 정하는 바에 따라 보장된다.

③ 공무원은 직무를 수행할 때 정치적 중립을 지켜야 한다.

④ 공무원은 재직 중은 물론 퇴직 후에도 공무원의 직무상 공정성과 청렴성을 훼손해서는 안 된다.

제8조 ① 정당은 정치적 자유의 표현이며 국민의 의사 형성 및 표명과 정치적 참여를 위한 기본적인 수단이다. 정당의 설립·조직 및 활동은 자유이며, 복수정당제는 보장된다.

② 정당의 목적·조직과 활동은 민주적이어야 한다.

③ 정당은 법률로 정하는 바에 따라 국가의 보호를 받으며, 국가는 소수자의 보호 등 정당한 목적과 공정 한 기준으로 법률로 정하는 바에 따라 정당운영에 필요한 자금을 보조할 수 있다.

④ 내각은 정당의 목적이나 활동이 민주적 기본질서에 위반될 때에는 대법원에 정당의 해산을 제소할 수 있고, 제소된 정당은 대법원의 심판에 따라 해산된다.

⑤ 법률에 따라 선거권자 10분의 1 이상의 찬성으로 대법원에 정당의 해산을 제소할 수 있고, 제소된 정당은 대법원의 심판에 따라 해산된다. 단, 해당 정당이 직전 국회의원 선거에서 선거권자 10분의 1 이상의 비례대표 득표를 한 경우 그 수 이상의 찬성을 얻어야 제소할 수 있다.

⑥ 대법원의 심판에 따라 해산되는 정당의 소속 공무원은 그 직을 상실한다.

제9조 국가는 문화의 자율성과 다양성을 증진하고, 전통문화를 창조적으로 계승하기 위하여 노력해야 한다.

제2장 기본적 권리와 의무

제10조 ① 모든 사람은 태어날 때부터 자유롭고 동등한 존엄과 가치를 가지며, 행복을 추구할 권리를 가진다. 국가는 개인이 가지는 불가침의 기본적 인권을 확인하고 보장할 의무를 진다.

② 모든 사람은 자유롭게 행동할 권리를 가진다.

제11조 ① 모든 사람은 법 앞에 평등하다. 누구도 성별·종교·장애·연령·인종·지역·언어·사상·재산·출생·피부색·성적지향·신체적 특성·사회적 신분·고용 형태 또는 기타의 신분을 이유로 정치적·경제적·사회적·문화적 생활을 비롯한 모든 영역에서 차별을 받아서는 안 된다.

② 국가는 실질적 평등을 실현하고, 현존하는 차별을 시정하기 위하여 적극적으로 조치한다.

③ 사회적 특수계급 제도는 인정되지 않으며, 어떠한 형태로도 창설할 수 없다.

④ 훈장을 비롯한 영전(榮典)은 받은 자에게만 효력이 있고, 어떠한 특권도 따르지 않으며 계급창설의 수단으로 사용할 수 없다.

제12조 ① 모든 사람은 생명권을 가지며, 신체와 정신을 온전하게 유지할 권리를 가진다.

② 인간의 생명과 존엄은 최우선적으로 보장되어야 하며, 그 어떠한 것도 인간의 생명과 존엄보다 앞설 수 없다.

③ 모든 사람은 죽음을 강요받지 않는다.

④ 모든 사람은 품위 있게 죽을 권리가 있다.

⑤ 모든 사람은 노예가 될 수 없으며, 인신매매는 어떠한 경우에도 인정되지 않는다.

⑥ 모든 사람의 생명은 우열을 판단할 수 없다.

⑦ 인간복제나 비인도적인 인체실험은 할 수 없다.

⑧ 특정한 인종을 차별하거나 우대할 수 없다.

⑨ 사형제도는 어떠한 경우에도 인정되지 않는다.

제13조 ① 모든 사람은 신체의 자유를 가진다. 누구도 법률에 따르지 않고는 체포·구속·압수·수색 또는 심문을 받지 않으며, 법률과 적법한 절차에 따르지 않고는 처벌·보안처분 또는 강제노역을 받지 않는다.

② 누구나 고문이나 잔혹 행위를 당하지 않으며, 모멸적이거나 비인도적인 처우 또는 처벌을 받지 않는다.

③ 누구나 민·형사상 자기에게 불리한 진술을 강요당하지 않는다.

④ 체포 · 구속이나 압수 · 수색을 하려 할 때에는 적법한 절차에 따라 청구되고 법관이 발부한 영장을 제시해야 한다. 다만, 현행범인인 경우와 장기 5년 이상의 형에 해당하는 죄를 범하고 도피하거나 증거를 없앨 염려가 있는 경우 사후에 영장을 청구할 수 있다.

⑤ 모든 사람은 사법절차에서 변호인의 도움을 받을 권리

를 가진다. 체포 또는 구속을 당한 경우에는 즉시 변호인의 도움을 받도록 하여야 한다. 국가는 형사피의자 또는 피고인이 스스로 변호인을 구할 수 없을 때에는 법률로 정하는 바에 따라 변호인을 선임하여 변호를 받도록 하여야 한다.

⑥ 체포나 구속의 이유, 변호인의 도움을 받을 권리와 자기에게 불리한 진술을 강요당하지 않을 권리가 있음을 고지받지 않고는 누구도 체포나 구속을 당하지 않는다. 체포나 구속을 당한 사람의 가족 등 법률로 정하는 사람에게는 그 이유와 일시·장소를 즉시 통지해야 한다.

⑦ 체포나 구속을 당한 사람은 법원에 그 적부(適否)의 심사를 청구할 권리를 가진다.

⑧ 고문·폭행·협박·부당한 장기간의 구속 또는 기망(欺罔), 그 밖의 방법으로 말미암아 자의(自意)로 진술하지 않은 것으로 인정되는 피고인의 자백, 또는 정식 재판에서 자기에게 불리한 유일한 증거가 되는 피고인의 자백은 유죄의 증거로 삼을 수 없으며, 그런 자백을 이유로 처벌할 수도 없다.

⑨ 법률이 정하는 바에 따라 형사피고인이 변호인을 선임하지 못한 경우에는 재판할 수 없다.

제14조 ① 모든 사람은 행위 시의 법률에 따라 범죄를 구

성하지 않는 행위로 소추되지 않으며, 동일한 범죄로 거듭 처벌받지 않는다.

② 모든 사람은 소급입법(遡及立法)으로 참정권을 제한받거나 재산권을 박탈당하지 않는다.

③ 모든 사람은 자기의 행위가 아닌 친족·지인의 행위로 불이익한 처우를 받지 않는다.

④ 모든 사람은 박해를 피하여 다른 나라에 비호(庇護)를 구하거나 받을 권리를 가진다.

⑤ 누구든지 고문 또는 잔혹하고 비인도적인 처우나 형벌을 받을 우려가 있는 국가에 송환되거나 인도되지 않는다.

⑥ 누구든지 사형을 받을 우려가 있는 국가에 특별한 사유가 없는 한 송환되거나 인도되지 않는다.

⑦ 국외에서 범죄를 저지른 사람이 제4항과 제5항에 해당한다면 해당 국가에 송환하거나 인도하지 않고 국내에서 처벌한다.

⑧ 국가는 국제법과 법률에 따라 난민을 보호한다.

⑨ 망명권은 관련 국제조약을 존중하여 법률로 정하는 바에 따라 보장되며 대한민국에 망명한 자는 기본적인 헌법상의 가치관에 동의해야 한다.

제15조 ① 모든 사람은 거주·이전의 자유를 가진다.

② 국가는 국민이 원활히 이동하기 위해 교통수단의 편의를 증진해야 한다.

제16조 ① 모든 사람은 직업의 자유를 가진다.
② 직업의 귀천(貴賤)은 인정되지 않는다.

제17조 ① 모든 사람은 사생활의 비밀과 자유를 침해받지 않는다.
② 모든 사람은 주거의 자유를 침해받지 않는다. 주거에 대한 압수나 수색을 하려 할 때는 적법한 절차에 따라 청구되고 법관이 발부한 영장을 제시해야 한다.
③ 모든 사람은 통신의 비밀을 침해받지 않는다.

제18조 ① 모든 사람은 신앙과 양심의 자유 및 종교적·세계관적 신조의 자유를 침해되지 않는다.
② 종교 활동의 자유는 보장된다.
③ 국교는 인정되지 않으며 국가는 특정 종교를 우대할 수 없다.
④ 종교와 정치는 분리된다.
⑤ 모든 사람은 종교적 행위를 하거나 종교에 대한 교육을 받도록 강요되지 않는다.

⑥ 모든 사람은 자신의 양심에 반하여 무력을 사용하도록 강요되지 않는다. 자세한 사항은 법률로 정한다.

제19조 ① 모든 사람의 표현의 자유는 보장되며, 이에 대한 허가나 검열은 금지된다.

② 언론·출판의 기능을 보장하기 위하여 필요한 사항은 법률로 정한다.

③ 언론·출판은 타인의 권리를 침해해서는 안 된다. 언론·출판이 타인의 권리를 침해한 경우 피해자는 이에 대한 배상·정정을 청구할 수 있다.

제20조 ① 모든 사람은 연대할 권리를 가진다.

② 집회·결사의 자유는 보장되며, 이에 대한 허가는 금지된다.

③ 누구든지 의사에 반하여 집회·결사에 참여하도록 할 수 없다.

④ 국가는 소수자의 보호 등 정당한 목적과 공정한 기준으로 법률로 정하는 바에 따라 단체 운영에 필요한 자금을 보조할 수 있다.

⑤ 단체가 범죄의 목적을 추구하거나 그 수단을 이용한 경우 위법한 것으로 본다.

⑥ 단체는 법률에 따르지 않고는 해산되거나 활동이 정지되지 않는다.

⑦ 전문직 단체의 경우 법률에 따라야 하며 내부 조직 및 운영은 민주적이어야 한다.

⑧ 비밀결사 및 준군사적 성격의 조직은 금지된다.

제21조 ① 모든 사람은 알권리 및 정보접근권을 가진다.

② 모든 사람은 자신에 관한 정보를 보호받고 그 처리에 관하여 통제할 권리를 가진다.

③ 국가는 정보의 독점과 격차로 인한 폐해를 예방하고 시정하기 위하여 노력해야 한다.

④ 모든 사람은 정보문화향유권을 가진다.

⑤ 국가는 국민이 인터넷에 접속할 수 있도록 보장하여야 한다.

제22조 ① 모든 사람은 잊혀질 권리를 가진다.

② 모든 사람은 자신의 정보에 대해 법률이 정하는 바에 따라 삭제를 요구할 수 있다.

제23조 ① 모든 사람은 학문과 예술의 자유를 가진다.

② 대학의 자치는 보장된다.

③ 저작자, 발명가, 과학기술자와 예술가의 권리는 법률로써 보호한다.

④ 모든 사람은 문화생활을 누릴 권리를 가진다.

제24조 ① 모든 사람의 재산권은 보장된다. 그 내용과 한계는 법률로 정한다.

② 재산권은 공공복리에 적합하도록 행사해야 한다.

③ 공공필요에 의한 재산권의 수용·사용 또는 제한 및 그 보상에 관한 사항은 법률로 정하되, 정당한 보상을 해야 한다.

④ 모든 사람은 소비자의 권리를 가진다.

제25조 ① 모든 국민은 선거권을 가진다. 선거권 행사의 요건과 절차 등 구체적인 사항은 법률로 정한다.

② 모든 국민은 자유롭게 선거운동을 할 수 있다. 다만, 정당·후보자 간 공정한 기회를 보장하기 위하여 법률로 제한하는 경우에는 그러하지 아니하다.

③ 모든 국민은 국가에 의한 헌법적 질서의 중대한 위반 및 그 불법적 폐지에 대하여 다른 구제수단이 불가능할 때에는 이에 저항할 권리를 가진다.

제26조 모든 국민은 공무담임권을 가진다. 구체적인 사항은 법률로 정한다.

제27조 ① 모든 사람은 국가기관에 청원할 권리를 가진다. 구체적인 사항은 법률로 정한다.

② 국가는 청원을 수리하고 심사하여 그 결과를 청원인에게 통지하여야 한다.

③ 제1항의 권리를 행사했다는 이유로 어떠한 불이익도 받지 않는다.

④ 모든 사람은 공정하고 적법한 행정을 요구할 권리를 가진다.

제28조 ① 모든 사람은 헌법과 법률에 따라 법원의 재판을 받을 권리를 가진다.

② 모든 사람은 재판을 공정하고 신속하게 받을 권리를 가진다. 형사피고인은 타당한 이유가 없으면 지체 없이 공개재판을 받을 권리를 가진다.

③ 형사피고인은 유죄 판결이 확정될 때까지는 무죄로 추정한다.

④ 국가는 형사피고인이 재판받는 과정에서 유죄로 추정되어 불이익한 처분을 받지 않도록 할 의무를 진다.

⑤ 형사피고인이 유죄 판결이 확정될 때까지 언론·출판은 유죄로 추정하여 보도하거나 저술해서는 안된다.

⑥ 형사피해자는 법률로 정하는 바에 따라 해당 사건의 재판절차에서 진술할 수 있다.

⑦ 국가는 국민이 민사·행정·가사소송을 제기할 금전적 여력이 없으면 법률이 정하는 바에 따라 지원하여야 한다.

⑧ 모든 재판은 법률에 특별한 규정이 없는 한 3인 이상의 배심원단이 구성되어야 할 수 있다.

제29조 ① 국가는 형사피의자 또는 형사피고인으로서 구금되었던 사람이 법률이 정하는 불기소처분이나 무죄판결을 받은 경우 법률로 정하는 바에 따라 정당한 보상을 하여야 한다.

② 국가는 형사피의자 또는 형사피고인으로서 기소된 사람이 무죄판결을 받은 경우 명예를 회복하기 위해 최선을 다해야 한다.

제30조 공무원의 직무상 불법행위로 손해를 입은 국민은 법률로 정하는 바에 따라 국가 또는 공공단체에 정당한 배상을 청구할 수 있다. 이 경우 공무원 자신의 책임은 면제되지 않는다.

제31조 ① 타인의 범죄행위로 인하여 생명·신체 및 정신적 피해를 받은 국민은 법률로 정하는 바에 따라 국가로부터 구조 및 보호를 받을 권리를 가진다.

② 제1항의 법률은 피해자의 인권을 존중하도록 정하여야 한다.

제32조 ① 모든 사람은 능력과 적성에 따라 균등하게 교육을 받을 권리를 가진다.

② 모든 사람은 보호하는 자녀 또는 아동에게 적어도 초·중등교육과 법률로 정하는 교육을 받게 할 의무를 진다.

③ 의무교육은 무상으로 한다.

④ 교육의 자주성·전문성 및 정치적 중립성은 법률로 정하는 바에 따라 보장된다.

⑤ 국가는 평생교육을 진흥해야 한다.

⑥ 국가는 교육의 평등성을 지향해야 한다.

⑦ 학교교육·평생교육을 포함한 교육 제도와 그 운영, 교육재정, 교원의 지위에 관한 기본 사항은 법률로 정한다.

제33조 ① 모든 사람은 일할 권리를 가지며, 국가는 고용의 안정과 증진을 위한 정책을 시행해야 한다.

② 국가는 완전고용을 지향하며 노동의 신성함을 존중하고 이를 보호하여야 한다.

③ 국가는 적정임금을 보장하기 위하여 노력하며, 법률이 정하는 바에 따라 노동자와 그 가족의 품위 있는 생활을 보장할 수 있는 최저임금제를 시행하며, 동일한 가치의 노동에 대하여는 동일한 임금이 지급될 수 있도록 노력한다.

④ 노동자는 정당한 이유 없는 해고로부터 보호받을 권리를 가진다.

⑤ 노동조건은 노동자와 사용자가 동등한 지위에서 자유의사에 따라 결정하되, 그 기준은 인간의 존엄성을 보장하도록 법률로 정한다.

⑥ 모든 사람은 고용·임금 및 그 밖의 노동조건에서 임신·출산·육아 등으로 부당하게 차별을 받지 않으며, 국가는 이를 위한 정책을 시행해야 한다.

⑦ 사회적 약자의 노동은 특별한 보호를 받는다.

⑧ 국가는 국가유공자·상이군경 및 전몰군경(戰歿軍警)·의사자(義死者)의 유가족이 법률로 정하는 바에 따라 노동의 기회를 부여받을 수 있도록 노력해야 한다.

⑨ 국가는 모든 사람이 일과 생활을 균형 있게 영위할 수 있도록 해야 하며 노동의 안전을 보장하고 시간의 제한을 통한 기본적인 휴가와 유급휴가를 보장하고 휴식시설을 설

치하도록 촉진해야 한다.

제34조 ① 노동자는 자주적인 단결권과 단체교섭권을 가진다.

② 노동자는 경제적, 사회적 지위 향상 및 노동조건의 유지·개선을 위하여 단체행동권을 가진다.

③ 노동자는 법률의 정하는 바에 의하여 기업 이익의 분배에 균점할 권리가 있다.

④ 노동자는 법률의 정하는 바에 의하여 기업 경영에 참여할 권리가 있다.

⑤ 노동자는 법률의 정하는 바에 의하여 기업에 청원 하고 정보를 제공받을 권리가 있다.

⑥ 노동조합의 설립·조직 및 활동은 자유롭고 민주적 이어야 한다.

⑦ 국가와 사용자는 노동조합을 탄압하거나 해산할 수 없으며, 운영에 개입할 수 없다.

⑧ 현역 군인과 공무원의 단결권, 단체교섭권과 단체행동권은 법률로 정하는 바에 따라 제한할 수 있다.

⑨ 현역 군인과 공무원은 누구든지 자신이 가입한 노동조합 또는 직능단체를 위한 활동을 이유로 법률이 정 하지 않은 직무상 처분을 받거나 불이익한 대우를 받지 않는다.

제35조 ① 모든 사람은 인간다운 생활을 할 권리를 가진다. 국가는 법률이 정하는 바에 따라 기본소득에 관한 시책을 강구해야 한다.

② 모든 국민은 장애·질병·노령·실업·빈곤 또는 기타 불가항력의 상황 등으로 초래되는 사회적 위험에서 벗어나 적정한 삶의 질을 유지할 수 있도록 사회보장을 받을 권리를 가진다.

③ 모든 국민은 임신·출산·양육과 관련하여 국가의 지원을 받을 권리를 가진다.

④ 모든 국민은 쾌적하고 안정적인 주거생활을 할 권리를 가진다. 국가는 법률이 정하는 바에 따라 국민이 수긍할 수 있는 주거를 제공해야 한다.

⑤ 모든 국민은 관계 법령에서 정하는 바에 따라 사회보장수급권을 가진다.

⑥ 모든 국민은 건강하게 살 권리를 가지며 관계 법령에서 정하는 바에 따라 건강보험에 가입할 권리를 가진다. 국가는 질병을 예방하고 보건의료 제도를 개선해야 한다.

⑦ 식생활은 사람이 살아가는데 기본적인 행복으로 국가는 다양한 식생활을 존중해야 한다.

⑧ 국가는 법률에 정하지 않는다면 특정 의복 착용을 강

요할 수 없다.

　제36조 ① 어린이와 청소년은 독립된 인격주체로서 존중과 보호를 받을 권리가 있으며, 어린이와 청소년에 대한 모든 공적·사적 조치는 어린이와 청소년의 이익을 우선적으로 고려해야 한다.

　② 어린이와 청소년은 자유롭게 의사를 표현하며, 자신에게 영향을 주는 결정에 참여할 권리를 가진다.

　③ 어린이와 청소년은 차별받지 아니하며, 부모와 가족 그리고 사회공동체 및 국가의 보살핌을 받을 권리를 가진다.

　④ 어린이와 청소년은 모든 형태의 학대와 방임, 폭력과 착취로부터 보호받으며 적절한 휴식과 여가를 누릴 권리를 가진다.

　⑤ 노인은 존엄한 삶을 누리고 정치적·경제적·사회적·문화적 생활에 참여할 권리를 가진다.

　⑥ 장애인은 존엄하고 자립적인 삶을 누리며, 모든 영역에서 동등한 기회를 얻고 참여할 권리를 가진다.

　⑦ 국가는 장애를 가진 사람에게 법률에 따라 자신이 가진 능력을 최대한으로 개발하고 경제활동이 가능하도록 적극적으로 지원해야 한다.

　⑧ 국가는 장애를 가진 사람들의 사회적 통합을 추구하며

사회참여를 보장하여야 한다.

⑨ 국가는 고용, 노동, 복지, 재정 등 모든 영역에서 성평등을 보장해야 한다.

제37조 ① 모든 사람은 안전할 권리를 가진다.

② 모든 사람은 안전한 사회를 만들기 위해 참여할 권리를 가진다.

③ 모든 사람은 재난을 초래한 환경과 이유를 포함한 진실에 대해 알권리를 가진다.

④ 재난으로 인해 손해를 입은 사람은 보호받을 권리가 있으며, 국가는 법률이 정하는 바에 따라 사과와 배상을 받을 수 있도록 지원해야 한다.

⑤ 누구든지 재난으로 생명을 잃은 사람을 충분히 애도할 권리를 가지며, 손해를 입은 사람의 아픔에 동참하고 정의를 위해 행동할 권리를 가진다.

⑥ 국가와 국민은 재난 및 모든 형태의 폭력에 의한 피해를 예방하고, 그 위험으로부터 사람을 보호해야 한다.

⑦ 국가는 모든 역량을 동원하여 재난에 처한 사람을 구조하고 이들의 안전을 확보하기 위해 최선을 다해야 하며, 구조에 있어서 그 어떤 차별도 있어서는 안 된다.

⑧ 국가는 필요할 경우 법률이 정하는 바에 따라 재난이

해결되는 전 과정을 기록해야 한다.

⑨ 국가는 유사한 재난이 반복되지 않도록 노력해야 한다.

제38조 ① 모든 사람은 건강하고 쾌적한 환경에서 생활할 권리를 가진다. 구체적인 내용은 법률로 정한다.

② 국가는 모든 생명체의 소중함을 인식하고 필요한 보호 정책을 시행해야 한다.

③ 국가는 기후변화에 대처하고, 에너지의 생산과 소비의 정의를 위해 노력하여야 한다.

④ 국가는 지구생태계와 미래세대에 대한 책임을 지고, 환경을 지속가능하게 보전하여야 한다.

⑤ 모든 국민은 자연을 보호해야 할 의무가 있다.

제39조 ① 혼인과 가족생활은 개인의 존엄과 평등을 바탕으로 성립되고 유지되어야 하며, 국가는 이를 보장 한다.

② 혼인과 가족생활의 형태에 따라 차별할 수 없다.

③ 누구든지 혼인하거나 하지 않을 것을 강요받지 않는다.

④ 혼인이 가능한 연령은 법률로 정한다.

⑤ 근친혼은 인정되지 아니한다.

⑥ 중혼은 인정되지 아니한다.

⑦ 인간 이외의 대상과는 혼인할 수 없다.

⑧ 인간 이외의 대상과는 가족관계를 구성할 수 없다.

제40조 ① 자유와 권리는 헌법에 구체적으로 열거되지 않았다는 이유로 경시되지 않는다.

② 모든 자유와 권리는 국가안전보장 혹은 공공복리를 위하여 필요한 경우에만 법률로써 제한할 수 있으며, 제한하는 경우에도 자유와 권리의 본질적인 내용을 침해할 수 없다.

③ 국가안전보장 혹은 공공복리를 위하여 자유와 권리를 제한할 경우 법률에 따라 보상해야 한다.

제41조 ① 모든 사람은 법률로 정하는 바에 따라 납세의 의무를 진다.

② 국가는 납세의 의무를 이행하는 사람이 불이익한 처우를 받지 않도록 하여야 한다.

제42조 ① 모든 국민은 법률로 정하는 바에 따라 국방의 의무를 진다.

② 국가는 국방의 의무를 이행하는 국민의 인권을 보장하기 위한 정책을 시행해야 한다.

③ 국가는 국방의 의무를 이행하는 국민에게 적정한 보상을 하여야 한다.

④ 국가는 국방의 의무를 이행하는 국민이 불이익한 처우를 받지 않도록 하여야 한다.

⑤ 누구든지 양심에 반하여 병역을 강제 받지 아니하고, 법률이 정하는 바에 의하여 대체복무를 할 수 있다.

제3장 대통령

제43조 ① 대통령은 국가를 대표한다.

② 대통령은 국가의 독립과 계속성을 유지하고, 영토를 보존하며, 헌법을 수호할 책임과 의무를 진다.

③ 부통령은 대통령을 보좌한다.

제44조 ① 대통령과 부통령은 국민의 보통·평등·직접·비밀선거에 의하여 선출한다.

② 제1항의 선거에 있어서 최고득표자가 2인 이상인 때에는 국회의 재적의원 과반수가 출석한 공개회의에서 다수표를 얻은 자를 당선자로 한다.

③ 대통령 혹은 부통령 후보자가 한 명이면 그 득표수가 선거권자 총수의 3분의 1 이상이 아니면 당선될 수 없다.

④ 대통령 혹은 부통령으로 선거될 수 있는 사람은 대한

민국 태생이고 국회의원의 피선거권이 있어야 한다.

⑤ 대통령과 부통령 선거에 관한 사항은 법률로 정한다.

제45조 ① 대통령 혹은 부통령의 임기가 만료되는 경우 임기만료 70일 전부터 40일 전 사이에 후임자를 선거한다.

② 대통령 혹은 부통령이 궐위(闕位)된 경우 또는 당선자가 사망 하거나 판결, 그 밖의 사유로 그 자격을 상실한 경우 60일 이내에 후임자를 선거한다.

③ 결선투표는 제1항 및 제2항에 따른 첫 선거일부터 14일 이내에 실시한다.

제46조 대통령은 취임에 즈음하여 다음의 선서를 한다.

"나는 헌법을 준수하고 인권을 존중하며 국가를 지키고 국민의 자유와 복리의 증진 및 문화 융성에 노력하여 대통령으로서 맡은 직책을 성실히 수행할 것을 국민 앞에 엄숙히 선서합니다."

제47조 ① 대통령과 부통령의 임기는 4년으로 한다.

② 대통령과 부통령이 궐위된 경우의 후임자는 전임자의 잔임기간만 재임한다.

③ 대통령과 부통령은 1차에 한하여 중임할 수 있다.

제48조 ① 대통령이 궐위되거나 질병·사고 등으로 직무를 수행할 수 없는 경우 부통령, 국회의장, 국무총리, 대법원장 순으로 대행한다.

② 부통령이 궐위되거나 질병·사고 등으로 직무를 수행할 수 없는 경우 국회의장, 국무총리, 대법원장 순으로 대행한다.

③ 대통령 혹은 부통령이 사임하려고 하거나 질병·사고 등으로 직무를 수행할 수 없는 경우 대통령 혹은 부통령은 그 사정을 제1항에 따라 권한대행을 할 사람에게 서면으로 미리 통보해야 한다.

④ 제2항의 서면 통보가 없는 경우 권한대행의 개시 여부에 대한 최종적인 판단은 국무총리가 국무회의의 심의를 거쳐 대법원에 신청하여 그 결정에 따른다.

⑤ 권한대행의 지위는 대통령 혹은 부통령이 복귀 의사를 서면으로 통보한 때에 종료된다. 다만, 복귀한 대통령 혹은 부통령의 직무 수행 가능 여부에 대한 다툼이 있을 때에는 대법원에 신청하여 그 결정에 따른다.

⑥ 제1항에 따라 대통령 혹은 부통령의 권한을 대행하는 사람은 그 직을 유지하는 한 대통령 혹은 부통령 선거에 입후보할 수 없다.

⑦ 대통령 혹은 부통령의 권한대행에 관하여 필요한 사항은 법률로 정한다.

제49조 대통령은 국무회의 의결에 따라 조약을 체결·비준하고, 외교사절을 신임·접수 또는 파견하며, 선전포고와 강화를 한다.

제50조 ① 대통령은 헌법과 법률로 정하는 바에 따라 내각의 조언을 통해 국군을 통수한다.
② 국군의 조직과 편성은 법률로 정한다.

제51조 ① 대통령은 내우외환, 천재지변 또는 중대한 재정, 경제상의 위기에 국가의 안전보장이나 공공의 질서를 유지하기 위하여 긴급한 조치가 필요하고 국회의 집회를 기다릴 여유가 없을 때에만 최소한으로 필요한 재정·경제상의 처분을 하거나 이에 관하여 법률의 효력을 가지는 명령을 국무회의 의결에 따라 발할 수 있다.
② 대통령은 국가의 안위에 관계되는 중대한 교전 상태에서 국가를 보위하기 위하여 긴급한 조치가 필요함 에도 국회의 집회가 불가능한 경우에만 법률의 효력을 가지는 명령을 국무회의 의결에 따라 발할 수 있다.

③ 대통령은 제1항과 제2항의 처분이나 명령을 한 경우 지체 없이 국회에 보고하여 승인을 받아야 한다.

④ 제3항의 승인을 받지 못한 때에는 그 처분이나 명령은 즉시 효력을 상실한다. 이 경우 그 명령에 따라 개정되었거나 폐지되었던 법률은 그 명령이 승인을 받지 못한 때부터 당연히 효력을 회복한다.

⑤ 대통령은 제3항과 제4항의 사유를 지체 없이 공포해야 한다.

제52조 ① 대통령은 전시·사변 또는 이에 준하는 국가 비상사태에 병력으로써 군사상의 필요에 응하거나 공공 의 안녕질서를 유지할 필요가 있을 때에는 법률로 정하는 바와 국무회의 의결에 따라 계엄을 선포할 수 있다.

② 계엄이 선포된 경우 법률로 정하는 바에 따라 영장제도, 언론·출판·집회·결사의 자유, 정부나 법원의 권한에 관하여 특별한 조치를 할 수 있다.

③ 계엄을 선포한 경우 대통령은 지체 없이 국회에 통고해야 한다.

④ 계엄이 선포되면 국회는 즉시 소집되며 이를 방해할 수 없다.

⑤ 국회가 재적의원 과반수의 찬성으로 계엄의 해제를 요

구하면 대통령은 계엄을 해제해야 한다.

　제53조 ① 대통령은 법률로 정하는 바와 국무회의 의결에 따라 사면·감형 또는 복권을 명할 수 있다.
　② 사면을 명하려면 국회의 동의를 받아야 한다.
　③ 사면·감형과 복권에 관한 사항은 법률로 정한다.

　제54조 대통령은 헌법과 법률의 정하는 바에 따라 공무원의 임면을 확인한다.

　제55조 대통령은 법률로 정하는 바와 국무회의 의결에 따라 훈장을 비롯한 영전을 수여한다.

　제56조 대통령과 부통령은 헌법과 법률이 정하는 바에 따라 국회에 출석하여 발언하거나 문서로 의견을 표시할 수 있다.

　제57조 대통령과 부통령의 국법상 행위는 문서로써 한다.

　제58조 대통령과 부통령은 국회의원, 법관, 그 밖에 법률로 정하는 공사(公私)의 직을 겸할 수 없다.

제59조 대통령과 부통령은 내란 또는 외환의 죄를 범한 경우를 제외하고는 재직 중 형사상의 소추를 받지 않는다.

제60조 전직 대통령과 부통령의 신분과 예우에 관한 사항은 법률로 정한다.

제4장 국회

제61조 입법권은 국회에 있다.

제62조 ① 국회는 국민이 보통·평등·직접·비밀선거로 선출한 국회의원으로 구성한다.
② 국회의원의 수는 법률로 정하되, 300명 이상으로 한다.
③ 국회의원의 선거구와 비례대표제, 그 밖에 선거에 관한 사항은 법률로 정한다.

제63조 ① 국회의원의 임기는 4년으로 한다. 단, 국회가 해산된 때에는 그 임기는 해산과 동시에 종료한다.
② 국무총리가 국회해산을 통보할 경우 통보일로부터 40

일 후에 국회가 해산된다.

③ 제2항에 따라 선거를 할 경우 통보일로부터 30일 이내에 선거를 해야 한다.

④ 제2항에 따라 선거를 할 경우 국회의원의 임기는 해산된 국회의 잔임기간으로 한다.

⑤ 국회의원의 임기가 100일 이내로 남아있을 경우 국회는 해산되지 않는다.

⑥ 국민은 국회의원을 소환할 수 있다. 소환의 요건과 절차 등 구체적인 사항은 법률로 정한다.

⑦ 국무총리가 국회해산을 통보한 경우 국회는 국무총리의 동의 없이 법률안을 제정하거나 개정할 수 없다.

제64조 국회의원은 법률로 정하는 직(職)을 겸할 수 없다.

제65조 ① 국회의원은 현행범인인 경우를 제외하고는 국회의 동의 없이 체포되거나 구금되지 않는다.

② 국회의원이 체포되거나 구금된 경우 국회의 요구 가 있으면 석방된다.

③ 국회의장은 재적의원 4분의 3 이상의 동의 없이 는 어떠한 경우에도 체포되거나 구금되지 않는다.

제66조 국회의원은 국회에서 직무상 발언하거나 표결한 것에 관하여 국회 밖에서 책임을 지지 않는다.

제67조 ① 국회의원은 청렴해야 할 의무를 진다.

② 국회의원은 국가이익을 우선하여 양심에 따라 직무를 수행한다.

③ 국회의원은 그 지위를 남용하여 국가·공공단체 또는 기업체와의 계약이나 그 처분에 따라 재산상의 권리·이익 또는 직위를 취득하거나 타인을 위하여 그 취득을 알선할 수 없다.

제68조 국회는 의장 1명과 부의장 1명을 선출한다.

제69조 국회는 헌법 또는 법률에 특별한 규정이 없으면 재적의원 과반수의 출석과 출석의원 과반수의 찬성으로 의결한다. 가부동수일 때에는 의장이 결정한다.

제70조 ① 국회의 회의는 공개한다. 다만, 출석의원 과반수의 찬성이 있거나 국회의장이 국가의 안전보장을 위하여 필요하다고 인정할 때에는 공개하지 않을 수 있다.

② 공개하지 않은 회의 내용의 공표에 관하여는 법률로

정한다.

제71조 ① 국회의원과 국민은 법률안을 제출할 수 있다.

② 법률안이 지방자치와 관련되는 경우 국회의장은 지방
의회에 이를 통보해야 하며, 해당 지방의회는 그 법률안에
대하여 의견을 제시할 수 있다. 구체적인 사항은 법률로 정
한다.

③ 국민의 법률안 제출의 요건과 절차 등 구체적인 사항
은 법률로 정한다.

제72조 ① 국회에서 의결된 법률안은 내각에 이송된 날부
터 10일 이내에 대통령이 공포한다.

② 법률은 특별한 규정이 없으면 공포한 날부터 10일이
지나면 효력이 생긴다.

제73조 ① 국회는 내각을 불신임할 수 있다.

② 제1항에 따라 불신임하려면 국회 재적의원 3분의 1 이
상이 발의하고 국회 재적의원 과반수가 찬성해야 한다.

③ 국무총리가 속한 정당의 국회의원은 불신임안을 발의
하거나 찬성할 수 없다.

④ 제1항에 따라 불신임안이 발의되면 국무총리가 속한

정당의 국회의원은 불신임안에 반대한 것으로 간주한다.

⑤ 국무총리가 속하지 아니하고 국무부총리나 국무위원이 속한 정당의 국회의원이 불신임안을 발의하거나 찬성하려면 국무부총리나 국무위원을 정당에서 제명하거나 그 직을 사임시켜야 하며 이를 하지 않는 경우 제4항에 따라 반대한 것으로 간주한다.

제74조 ① 국회는 국가의 예산안을 심의하여 예산법률로 확정한다.

② 내각은 회계연도마다 예산안을 편성하여 회계연도 개시 100일 전까지 국회에 제출하고, 국회는 회계연도 개시 30일 전까지 예산법률안을 의결해야 한다.

③ 새로운 회계연도가 개시될 때까지 예산법률이 효력을 발생하지 못한 경우 내각은 예산법률이 효력을 발생할 때까지 다음의 목적을 위한 경비를 전년도 예산법률에 준하여 집행할 수 있다.

1. 헌법이나 법률에 따라 설치한 기관이나 시설의 유 지·운영

2. 법률로 정하는 지출 의무의 실행

3. 이미 예산법률로 승인된 사업의 계속

④ 예산안의 심의와 예산법률안의 의결 등에 필요한 사항

은 법률로 정한다.

　제75조 ① 한 회계연도를 넘어 계속하여 지출할 필요가 있는 경우 내각은 연한(年限)을 정하여 계속비로서 국회의 의결을 거쳐야 한다.
　② 예비비는 총액으로 국회의 의결을 거쳐야 한다. 예비비의 지출은 차기 국회의 승인을 받아야 한다.

　제76조 내각은 예산법률을 개정할 필요가 있는 경우 추가경정예산안을 편성하여 국회에 제출할 수 있다.

　제77조 국채를 모집하거나 예산법률 외에 국가의 부담이 될 계약을 맺으려면 내각은 미리 국회의 의결을 거쳐야 한다.

　제78조 조세의 종목과 세율은 법률로 정한다.

　제79조 ① 국회는 다음 조약의 체결·비준에 대한 동의권을 가진다.
　1. 상호원조나 안전보장에 관한 조약
　2. 중요한 국제조직에 관한 조약

3. 우호통상항해조약

4. 주권의 제약에 관한 조약

5. 강화조약(講和條約)

6. 국가나 국민에게 중대한 재정 부담을 지우는 조약

7. 입법사항에 관한 조약

8. 그 밖에 법률로 정하는 조약

② 국회는 선전포고, 국군의 외국 파견 또는 외국 군대의 대한민국 영역 내 주류(駐留)에 대한 동의권을 가진다.

제80조 ① 국회는 국정을 감사하거나 특정한 국정사 안에 대하여 조사할 수 있으며, 이에 필요한 서류의 제출, 증인의 출석, 증언, 의견의 진술을 요구할 수 있다.

② 국정감사와 국정조사의 절차, 그 밖에 필요한 사 항은 법률로 정한다.

제81조 ① 국무총리, 국무부총리, 국무위원, 정부위원은 국회나 그 위원회에 출석하여 국정 처리 상황을 보고하거나 의견을 진술하고 질문에 응답할 수 있다.

② 국회나 그 위원회에서 요구하면 국무총리, 국무부 총리, 국무위원, 정부위원은 출석하여 답변해야 한다. 다만, 국무총리, 국무부총리, 국무위원이 출석 요구를 받은 경우 국

무부총리, 국무위원, 정부위원이 출석·답변하게 할 수 있다.

제82조 ① 국회는 대법원장, 부대법원장, 대법관을 해임할 수 있다.

② 제1항에 따라 해임하려면 국회 재적의원 과반수가 발의하고 국회 재적의원 3분의 2 이상이 찬성해야 한다.

제83조 ① 국회는 법률에 위반되지 않는 범위에서 의사와 내부 규율에 관한 규칙을 제정할 수 있다.

② 국회는 국회의원의 자격을 심사하며, 국회의원을 징계할 수 있다.

③ 국회의원을 제명하려면 국회 재적의원 4분의 3 이상이 찬성해야 한다.

④ 제2항과 제3항의 처분에 대해서는 법원에 제소할 수 없다.

제84조 ① 대통령, 부통령, 기타 법률이 정한 공무원이 직무를 집행하면서 헌법이나 법률을 위반한 경우 국회는 탄핵의 소추를 의결할 수 있다.

② 제1항의 탄핵소추를 하려면 국회 재적의원 3분의 1 이상 또는 국회의원 선거권자 10분의 1 이상의 찬성으로 발의

하고 국회 재적의원 과반수가 찬성해야 한다. 다만, 대통령과 부통령에 대한 탄핵소추는 국회 재적의원 과반수 또는 국회의원 선거권자 10분의 2 이상의 찬성으로 발의하고 국회 재적의원 3분의 2 이상이 찬성해야 한다.

③ 탄핵소추의 의결을 받은 사람은 탄핵심판이 있을 때까지 권한을 행사하지 못한다.

④ 탄핵결정은 공직에서 파면하는 데 그친다. 그러나 파면되더라도 민사상 또는 형사상 책임이 면제되지는 않는다.

제85조 국가의 세입·세출의 결산, 국가·지방정부 및 법률로 정하는 단체의 회계검사, 법률로 정하는 국가·지방정부의 기관 및 공무원의 직무에 관한 감찰을 하기 위하여 국회 산하에 감사원을 둔다.

제86조 ① 감사원은 원장을 포함한 9명의 감사위원으로 구성하며, 감사위원은 국회의장이 임명한다.

② 제1항에 따라 감사위원을 임명하려면 국회 재적의원 과반수가 발의하고 국회 재적의원 3분의 2 이상이 찬성해야 한다.

③ 감사원장과 감사위원의 임기는 4년으로 한다. 다만, 감사위원으로 재직 중인 사람이 감사원장으로 임명되는 경우

그 임기는 감사위원 임기의 남은 기간으로 한다.

④ 감사위원은 정당에 가입하거나 정치에 관여할 수 없다.

⑤ 감사위원을 해임하려면 국회 재적의원 과반수가 발의하고 국회 재적의원 3분의 2 이상이 찬성해야 한다.

제87조 감사원은 세입·세출의 결산을 매년 검사하여 다음 연도 국회에 그 결과를 보고해야 한다.

제88조 ① 감사원은 법률에 위반되지 않는 범위에서 감사에 관한 절차, 감사원의 내부 규율과 감사사무 처리에 관한 규칙을 제정할 수 있다.

② 감사원의 조직, 직무 범위, 감사위원의 자격, 감사 대상 공무원의 범위, 그 밖에 필요한 사항은 법률로 정 한다.

제5장 정부

제1절 내각

제89조 ① 행정권은 국무총리를 수반으로 하는 내각에 있다.

② 국무총리는 국회의원 중에서 국회 재적의원 과반수의 동의를 얻어 선출한다.

③ 국무총리가 사고로 인하여 직무를 수행할 수 없을 때에는 국무부총리와 법률의 정하는 순서에 따라 국무위원이 그 권한을 대행한다.

④ 국무총리가 국회의원의 직위를 상실할 경우 퇴직 된다.

제90조 ① 국무부총리와 국무위원은 국회의원 중에서 국무총리가 지명하여 대통령이 임명한다.

② 국무부총리는 국정에 관하여 국무총리를 보좌한다.

③ 국무위원은 국무회의의 구성원으로서 국정을 심의 한다.

④ 국무부총리와 국무위원이 국회의원의 직위를 상실할 경우 퇴직된다.

제91조 국무총리는 필요하다고 인정할 경우 국가 안위에 관한 중요 정책을 국민투표에 부칠 수 있다.

제92조 국무총리는 법률에서 구체적으로 범위를 정하여 위임받은 사항과 법률을 집행하는 데 필요한 사항에 관하여 국무총리령을 발(發)할 수 있다.

제93조 국무총리는 헌법과 법률로 정하는 바에 따라 공무원을 임면(任免)한다.

제94조 ① 국무총리는 국회가 내각을 불신임한 경우 국회를 해산할 수 있다.
② 제1항에 따라 국회해산을 결의하지 않는 한 내각은 10일 이내에 총사퇴해야 한다.
③ 국무총리는 국회가 내각을 불신임하지 않으면 국회를 해산할 수 없다.

제2절 국무회의와 국가자치분권회의

제95조 ① 국무회의는 내각의 권한에 속하는 중요한 정책을 심의한다.
② 국무회의는 국무총리와 15명 이상 30명 이하의 국무위원으로 구성한다.
③ 국무총리는 국무회의의 의장이 되고, 국무부총리는 부의장이 된다.

제96조 다음 사항은 국무회의의 심의를 거쳐야 한다.

1. 국정의 기본계획과 내각의 일반 정책

2. 선전(宣戰), 강화, 그 밖에 중요한 대외 정책

3. 헌법 개정안, 국민투표안, 조약안, 국무총리령안

4. 국회해산에 관한 사항

5. 내각 총사퇴에 관한 사항

6. 예산안, 결산, 국유재산 처분의 기본계획, 국가에 부담
이 될 계약, 그 밖에 재정에 관한 중요 사항

7. 긴급명령, 긴급재정경제처분 및 명령, 계엄의 선포와 해
제

8. 군사에 관한 중요 사항

9. 영전 수여

10. 사면·감형과 복권

11. 행정각부 간의 권한 획정

12. 내각 안의 권한 위임 또는 배정에 관한 기본계획

13. 국정 처리 상황의 평가·분석

14. 행정각부의 중요 정책 수립과 조정

15. 정당 해산의 제소

16. 내각에 제출되거나 회부된 내각 정책에 관계되는 청원
의 심사

17. 합동참모의장·각군참모총장·국립대학교총장·대사 기타
법률로 정한 공무원과 국영기업체 관리자의 임명

18. 사립대학교총장직무대행의 임명

19. 사립대학교에 임시 이사 파견 결정

20. 그 밖에 국무총리나 국무위원이 제출한 사항

제97조 ① 중앙정부와 지방정부 간 협력을 추진하고 지방 자치와 지방 간 균형 발전에 관련되는 중요 정책을 심의하기 위하여 국가자치분권회의를 둔다.

② 국가자치분권회의는 국무총리, 국무부총리와 지방 행정부의 장으로 구성한다.

③ 국무총리는 국가자치분권회의의 의장이 되고, 국무부총리는 부의장이 된다.

④ 국가자치분권회의의 조직과 운영 등 구체적인 사 항은 법률로 정한다.

제3절 행정각부

제98조 행정각부의 장은 국무총리의 제청으로 대통령이 임명한다.

제99조 국무총리 또는 행정각부의 장은 소관 사무에 관하여 법률이나 국무총리령의 위임 또는 직권으로 총리령 또는

부령을 발할 수 있다.

제100조 행정각부의 설치·조직과 직무 범위는 법률로 정한다.

제6장 법원

제101조 ① 사법권은 법관으로 구성된 법원에 있다. 국민은 법률로 정하는 바에 따라 배심원 또는 그 밖의 방법으로 재판에 참여할 수 있다.

② 법원은 최고법원인 대법원과 지방법원으로 조직한다.

③ 법관의 자격은 법률로 정한다.

④ 모든 법관은 임용시 국회의 동의를 받아야 한다.

⑤ 법관은 법률에 따라 선거할 수 있다.

제102조 ① 대법원에 일반재판부와 전문재판부를 둘 수 있다.

② 대법원에 대법관을 둔다. 다만, 법률로 정하는 바에 따라 대법관이 아닌 법관을 둘 수 있다.

③ 대법원과 지방법원의 조직은 법률로 정한다.

제103조 법관은 헌법과 법률에 의하여 그 양심에 따라 독립하여 공정하게 심판한다.

제104조 ① 대법원장, 부대법원장, 대법관은 법관인 자 중에서 국회 재적의원 3분의 2 이상의 동의를 얻어 선출한다.
② 제1항의 관하여 필요한 사항은 법률로써 정한다.

제105조 ① 대법원장의 임기는 4년으로 하며, 연임할 수 없다.
② 부대법원장과 대법관의 임기는 4년으로 하며, 연임할 수 있다.
③ 대법원장, 부대법원장, 대법관이 궐위된 경우의 후임자는 전임자의 잔임기간 동안 재임한다.
④ 법관의 정년은 법률로 정한다.

제106조 ① 법관은 국회 혹은 지방의회의 의결을 통한 해임 혹은 국민 심사에서 의하거나 금고 이상의 형을 선고받지 않고는 파면되지 않으며, 징계처분에 의하지 않고는 해임, 정직, 감봉, 그 밖의 불리한 처분을 받지 않는다.
② 법관이 중대한 심신상의 장해로 직무를 수행할 수 없

을 때는 법률로 정하는 바에 따라 퇴직하게 할 수 있다.

③ 국민은 법관을 소환할 수 있다. 소환의 요건과 절차 등 구체적인 사항은 법률로 정한다.

④ 제3항에 따라 소환을 받은 법관은 결과를 공표할 때까지 권한을 행사하지 못한다.

⑤ 대법원장, 부대법원장, 대법관은 임명 후 처음으로 행해지는 지방선거 때 국민의 심사를 부친다.

⑥ 국민의 심사에 부쳐진 법관에 대해 투표자의 3분의 2 이상이 법관의 파면을 찬성하는 경우 그 법관은 파면된다.

제107조 ① 법률이 헌법에 위반되는지가 재판의 전제가 된 경우 법원은 대법원에 제청하여 그 심판에 따라 재판한다.

② 제1항의 심판에 대해 법원은 대법원에 의견을 제출할 수 있다.

③ 명령 · 규칙 · 조례 또는 자치규칙이 헌법이나 법률에 위반되는지가 재판의 전제가 된 경우 대법원은 이를 최종적으로 심사할 권한을 가진다.

④ 재판의 전심절차로서 행정심판을 할 수 있다. 행정심판의 절차는 법률로 정하되, 사법절차가 준용되어야 한다.

제108조 대법원은 법률에 위반되지 않는 범위에서 소송에 관한 절차, 법원의 내부 규율과 사무 처리에 관한 규칙을 제정할 수 있다.

제109조 재판의 심리와 판결은 공개한다. 다만, 심리는 인권을 침해할 염려가 있거나 국가의 안전보장을 위협할 때는 법원의 결정으로 공개하지 않을 수 있다.

제110조 ① 대법원이 관장하는 다음 사안에 대해서는 대법관 3분의 2 이상의 찬성으로 결정한다.
1. 법원의 제청에 의한 법률의 위헌 여부 심판
2. 탄핵의 심판
3. 정당의 해산 심판
4. 국가기관 상호 간, 국가기관과 지방정부 간, 지방정부 상호 간의 권한쟁의에 관한 심판
5. 법률로 정하는 헌법소원에 관한 심판
6. 대통령 권한대행의 개시 또는 대통령의 직무 수행 가능 여부에 관한 심판
7. 그 밖에 법률로 정하는 사항에 관한 심판

제111조 ① 대법원 산하에 선거위원회를 두며 다음 사항을 관장한다.

1. 국가와 지방정부의 선거에 관한 사무

2. 국민발안, 국민투표, 국민소환의 관리

3. 정당과 정치자금에 관한 사무

4. 주민발안, 주민투표, 주민소환의 관리

5. 그 밖에 법률로 정하는 사무

② 선거위원회는 대법원에서 임명하는 9명의 위원으로 구성한다. 위원장은 위원 중에서 호선한다.

③ 제2항에 따라 대법원에서 위원을 임명하려면 국회 재적의원 3분의 2 이상의 동의를 얻어야 한다.

제112조 ① 선거위원회는 법률에 위반되지 않는 범위에서 소관 사무의 처리와 내부 규율에 관한 규칙을 제정할 수 있다.

② 선거위원회의 조직, 직무 범위, 그 밖에 필요한 사항은 법률로 정한다.

제113조 ① 선거위원회는 선거인명부의 작성 등 선거 사무와 국민투표 사무에 관하여 관계 행정기관에 필요한 지시를 할 수 있다.

② 제1항의 지시를 받은 행정기관은 지시에 따라야 한다.

제114조 ① 누구나 자유롭게 선거운동을 할 수 있다. 다만, 후보자 간 공정한 기회를 보장하기 위하여 필요 한 경우에만 법률로써 제한할 수 있다.

② 선거에 관한 경비는 법률로 정하는 경우를 제외하고는 정당이나 후보자에게 부담시킬 수 없다.

③ 선거운동에 드는 경비는 법률로 정하는 바에 따라 후보자에게 지원해야 한다.

제10장 지방자치

제115조 ① 지방정부의 자치권은 주민에 속한다. 주민은 자치권을 직접 또는 지방정부를 통해 행사한다.

② 지방정부의 종류와 구역 등 지방정부에 관한 주요 사항은 법률로 정한다.

③ 주민발안, 주민투표 및 주민소환에 관하여 그 대상, 요건 등 기본적인 사항은 법률로 정하고, 구체적인 내용은 조례로 정한다.

④ 국가와 지방정부 간, 지방정부 상호 간 사무의 배분은

주민에게 가까운 지방정부가 우선한다는 원칙에 따라 법률로 정한다.

제116조 ① 지방정부에 주민이 보통·평등·직접·비밀 선거로 구성하는 지방의회와 법률에 따라 구성하는 지방법원을 둔다.

② 지방정부의 조직과 운영에 관한 기본적인 사항은 법률로 정하고, 구체적인 내용은 조례로 정한다.

③ 지방행정부의 장은 법률 또는 조례를 집행하기 위하여 필요한 사항과 법률 또는 조례에서 구체적으로 범위를 정하여 위임받은 사항에 관하여 자치규칙을 정할 수 있다.

④ 지방법원의 장은 법률 또는 조례를 집행하기 위하여 필요한 사항과 법률 또는 조례에서 구체적으로 범위를 정하여 위임받은 사항에 관하여 자치규칙을 정할 수 있다.

제117조 ① 지방의회는 법률에 위반되지 않는 범위에서 주민의 자치와 복리에 필요한 사항에 관하여 조례를 제정할 수 있다.

② 지방의회는 국회에 법률 제정을 건의할 수 있다.

③ 지방의회는 지방법원의 장을 해임할 수 있다.

④ 제3항에 따라 해임하려면 지방의회 재적의원 과반수가

발의하고 지방의회 재적의원 3분의 2 이상이 찬성해야 한다.

　제118조 ① 지방정부는 자치사무의 수행에 필요한 경비를 스스로 부담한다. 국가 또는 다른 지방정부가 위임한 사무를 집행하는 경우 그 비용은 위임하는 국가 또는 다른 지방정부가 부담한다.
　② 지방의회는 법률에 위반되지 않는 범위에서 자치 세의 종목과 세율, 징수 방법 등에 관한 조례를 제정할 수 있다.
　③ 조세로 조성된 재원은 국가와 지방정부의 사무 부담 범위에 부합하게 배분해야 한다.
　④ 국가와 지방정부 간, 지방정부 상호 간에 법률로 정하는 바에 따라 적정한 재정조정을 시행한다.

　제11장 경제

　제119조 ① 대한민국의 경제질서는 모든 국민에게 인간으로서 존엄과 가치를 보장할 수 있도록 균형있는 국민경제의 발전을 기함을 기본으로 삼는다.
　② 국가는 경제의 성장 및 안정과 적정한 소득의 분배를 유지하고, 시장의 지배와 경제력의 집중과 남용을 방지하며,

여러 경제주체의 참여, 상생 및 협력이 이루어지도록 경제에 관한 규제와 조정을 하여야 한다.

③ 개인과 기업의 경제상의 자유와 창의는 사회정의의 한도 내에서 보장된다.

④ 국가는 경제적으로 어려운 계층의 경제력 발전을 위해 노력해야 한다.

⑤ 국가는 지방 간의 균형 있는 발전을 위하여 지방 공유자산을 유지, 발전시키며 지방경제를 육성할 의무를 진다.

제120조 ① 국가는 국토와 자원을 보호해야 하며, 지속가능하고 균형 있는 이용·개발과 보전을 위하여 필요한 계획을 수립·시행한다.

② 자연자원은 모든 국민의 공동자산으로서 국가의 보호를 받으며, 국가는 지속가능한 개발과 이용을 위하여 필요한 계획을 수립하고 이를 달성하기 위하여 노력한다.

③ 광물을 비롯한 중요한 지하자원, 해양수산자원, 산림자원, 수력과 풍력 등 경제적으로 이용할 수 있는 자연력은 법률로 정하는 바에 따라 국가가 일정 기간 채취·개발 또는 이용을 특허할 수 있다.

제121조 ① 국가는 농지에 관하여 경자유전(耕者有田)의

원칙이 달성될 수 있도록 노력해야 하며, 농지의 소작제도는 금지된다.

② 농업생산성의 제고와 농지의 합리적인 이용을 위하거나 불가피한 사정으로 발생하는 농지의 임대차와 위탁경영은 법률로 정하는 바에 따라 인정된다.

제122조 ① 국가는 국민 모두의 생산과 생활의 바탕이 되는 국토의 효율적이고 균형 있는 이용, 개발과 보전을 도모하고, 토지 투기로 인한 경제왜곡과 불평등을 방지하기 위하여 법률이 정하는 바에 의하여 필요한 제한과 의무를 과한다.

② 국가는 토지의 공공성과 합리적 사용을 위하여 필요한 경우에만 법률로써 특별한 제한을 하거나 의무를 부과하여야 한다.

제123조 ① 국가는 식량의 안정적 공급과 생태 보전 등 농어업의 공익적 기능을 바탕으로 농어촌의 지속가능한 발전과 농어민의 삶의 질 향상을 위한 지원 등 필요한 계획을 수립·시행해야 한다.

② 국가는 농수산물의 수급균형과 유통구조의 개선에 노력하여 가격안정을 도모함으로써 농어민의 이익을 보호한다.

③ 국가는 농어민의 자조조직을 육성해야 하며, 그 조직의 자율적 활동과 발전을 보장한다.

제124조 ① 국가는 중소기업과 소상공인을 보호, 육성하고, 협동조합의 육성 등 사회적 경제의 진흥을 위하여 노력해야 한다.

② 국가는 중소기업과 소상공인의 자조조직을 육성해야 하며, 그 조직의 자율적 활동과 발전을 보장한다.

제125조 ① 국가는 안전하고 우수한 품질의 생산품과 용역을 받을 수 있도록 소비자의 권리를 보장해야 하며, 이를 위하여 필요한 정책을 시행해야 한다.

② 국가는 법률로 정하는 바에 따라 소비자운동을 보장한다.

제126조 국가는 호혜적이고 공정한 대외무역을 육성 하며, 이를 규제하고 조정할 수 있다.

제127조 민생이나 국방에 필요하여 법률로 정하는 경우를 제외하고는, 사영기업을 국유 또는 공유로 이전하거나 그 경영을 통제 또는 관리할 수 없다.

제128조 ① 국가는 기초 학문을 장려하고 과학기술을 혁신하며 정보와 인력을 개발하는 데 노력해야 한다.

② 국가는 국가표준제도를 확립한다.

③ 국가는 반지성주의를 배격해야 한다.

제12장 헌법 개정

제129조 ① 헌법 개정의 제안은 국회 재적의원 3분의 1 이상이나 국회의원 선거권자 50분의 1 이상의 찬성으로 한다.

② 대통령의 임기 연장 또는 중임 변경을 위한 헌법 개정은 그 헌법 개정 제안 당시의 대통령에 대해서는 효력이 없다.

제130조 ① 대통령은 제안된 헌법 개정안을 20일 이상 공고해야 한다.

② 국무총리는 제안된 헌법 개정안의 표결을 제헌의회에서 하고자 하는 경우 대통령에게 제헌의회 소집 건의를 할 수 있다.

③ 대통령은 국무총리가 제헌의회 소집 건의를 하면 이를 즉시 소집해야 한다.

④ 제헌의회 의원은 국민이 보통·평등·직접·비밀 선거로 선출하여 구성하되, 그 조직과 운영 기타 필요한 사항은 법률로 정한다.

제131조 ① 제헌의회는 소집 후 180일 이내로 존속 한다.

② 제헌의회가 소집되면 국회는 즉시 해산하며 국회의 모든 기능과 권한은 제헌의회로 이관된다.

③ 제헌의회가 소집되면 내각은 즉시 총사퇴하며 부통령이 국무총리를 대행하며 새로운 내각을 구성 한다.

④ 제헌의회는 재적의원 과반수의 찬성으로 법관을 파면할 수 있다.

⑤ 제헌의회는 대법원, 지방의회, 지방정부, 지방법원의 권한을 제한할 수 있다.

⑥ 제헌의회는 제안된 헌법 개정안이 표결에서 부결되면 헌법 개정안을 수정하여 표결에 다시 부쳐서 의결할 수 있다.

⑦ 제헌의회는 헌법 개정이 확정되면 새로운 헌법에 따라 구성된 국회의 최초 집회일 전일까지 존속하며, 헌법 개정이 국민투표에서 부결되거나 180일 이내로 의결하지 못하면 기

존 헌법에 따라 다시 국회를 구성하고 구성된 국회의 최초 집회일 전일까지 존속하며, 그 국회의원의 임기는 기존에 해산된 국회의원 임기의 잔여 임기로 하며, 나머지 헌법상의 기구도 기존 헌법에 따라 다시 구성한다.

제132조 ① 제안된 헌법 개정안은 공고된 날부터 60일 이내에 국회 혹은 제헌의회에서 표결해야 하며, 재적의원 3분의 2 이상의 찬성으로 의결한다.

② 헌법 개정안이 의결한 날부터 30일 이내에 국민 투표에 부쳐 국회의원 선거권자 과반수의 투표와 투표자 과반수의 찬성을 얻어야 한다.

③ 헌법 개정안이 제2항의 찬성을 얻은 경우 헌법 개정은 확정되며, 대통령은 즉시 이를 공포해야 한다.

III. 부칙

제1조 ① 이 헌법은 공포한 날부터 시행한다. 다만, 법률의 제정 또는 개정 없이 실현될 수 없는 규정은 그 법률이 시행되는 때부터 시행하되, 늦어도 2026년 8월 15일에는 시행한다.

② 제1항에도 불구하고 이 헌법을 시행하기 위하여 필요한 법률의 제정, 개정, 그 밖에 이 헌법의 시행에 필요한 준비는 이 헌법 시행 전에 할 수 있다.

제2조 ① 이 헌법이 시행되기 전까지는 그에 해당하는 종전의 규정을 적용한다.

② 종전의 헌법에 따라 구성된 지방자치단체, 지방의 회, 지방자치단체의 장은 이 헌법 제9장에 따른 지방의회와 지방행정부의 장이 선출되어 지방정부가 구성될 때까지 이 헌법에서 정하는 지방정부, 지방의회, 지방행정부의 장으로 본다.

③ 종전의 헌법에 따라 구성된 교육청과 산하 조직은 폐지되어 법률에 따라 지방정부에 통합되며 교육감과 교육의원은 직위를 상실한다.

제3조 ① 이 헌법 개정 제안 당시 대통령의 임기는 2026년 8월 14일까지로 하며, 중임할 수 없다.

② 이 헌법 개정 제안 당시의 대통령이 궐위되거나 사고로 인하여 직무를 수행할 수 없을 때에는 국무총리, 법률이 정한 국무위원의 순서로 그 권한을 대행하며 국무위원도 모두 궐위되거나 사고로 인하여 직무를 수행할 수 없을 때에

는 차관 중에서 최선임자가 그 권한을 대행한다.

③ 이 헌법이 시행되고 나서 부통령이 선출되기 전에는 국무총리가 그 권한을 대행한다.

④ 이 헌법이 시행되고 나서 국무부총리가 선출되기 전에는 국무위원 중 최선임자가 그 권한을 대행한다.

제4조 ① 이 헌법 개정 제안 당시 국회의원의 임기는 2026년 8월 14일까지로 한다.

② 이 헌법 개정 제안 당시 국회의원 중 비례대표 국회의원이 궐위된 경우 승계자를 기존의 법률에 따른 조항을 따르지 아니하고 각 정당의 대표자에 의해 지명받는 자가 승계한다.

제5조 ① 이 헌법 개정 제안 당시 대법원장, 대법관의 임기는 2026년 8월 14일까지로 하며 대법관 중 최선임자는 이 헌법에 의한 부대법원장으로 간주하며 임기는 2026년 8월 14일까지로 한다.

② 종전의 헌법에 따라 구성된 헌법재판소는 폐지되며 재판관은 직위를 상실한다.

제6조 ① 2022년 6월 1일에 실시하는 선거와 그 재·보궐

선거 등으로 선출된 지방의회 의원 및 지방자치단체 의장의 임기는 2028년 8월 14일까지로 한다.

② 2022년 6월 1일에 실시하는 선거와 그 재·보궐선거 등으로 선출된 교육의원은 이 헌법 시행과 동시에 그 직을 상실한다.

제7조 ① 이 헌법 시행 당시의 공무원은 이 헌법에 따라 임명 또는 선출된 것으로 본다.

② 이 헌법 시행 당시의 감사원장, 감사위원은 이 헌법에 따라 감사원장, 감사위원이 임명될 때까지 그 직무를 수행하며, 임기는 이 헌법에 따라 감사원장, 감사위원이 임명된 날의 전날까지로 한다.

③ 이 헌법 시행 당시의 감사원장, 감사위원의 임면권은 국회에 있는 것으로 간주한다.

제8조 ① 군사법원은 이 헌법에 따라 폐지한다.

② 군사법원에 계속 중인 사건은 법원으로 이관된 것으로 본다.

제9조 ① 이 헌법 시행 당시의 법령과 조약은 이 헌법에 위반되지 않는 한 그 효력을 지속한다.

② 종전의 헌법에 따라 유효하게 행해진 처분, 행위 등은 이 헌법에 따른 처분, 행위 등으로 본다.

제10조 이 헌법 시행 당시 이 헌법에 따라 새로 설치되는 기관의 권한에 속하는 직무를 수행하고 있는 기관은 이 헌법에 따라 새로운 기관이 설치될 때까지 존속 하며 그 직무를 수행한다.

제11조 이 헌법 시행 당시의 지방자치에 관한 규정은 이 헌법에 따른 조례, 자치규칙으로 본다.

제12조 이 헌법 시행과 동시에 사형 판결을 받고 집행되지 않은 자는 무기징역으로 감형한다.

서울과 아시아지역학 2

발행 2024년 05월 27일

지은이 대한아시아지역학연구회
발행처 주식회사 부크크
출판등록 2014.07.15. (제2014-16호)
발행인 한건희
주소 서울특별시 금천구 가산디지털1로 119 SK트윈타워 A동 305호
이메일 info@bookk.co.kr
전화번호 1670-8316
ISBN 979-11-410-8664-0

값 20,000원